지구과학을 사랑해

오종길

먼 곳으로 떠난 3학년 8반 김민성에게

이 책을 바칩니다.

목차

006		지구과학을 사랑해
068		우리들의 B02
096		샛별빌라
122		혜람빌딩
140	에세이	섬세하고 하얀 사랑
148	인터뷰	하혁진 X 오종길
164	추천사	김현 시인

지구과학을 사랑해

수능 전 마지막 학력평가를 마치고 야간 자율 학습이 없는 날, 우리는 J성 공원을 산책하기로 했다. 밤 산책을 나온 이들이 슬렁슬렁 지나는 공원을 걷는 건 다소 어색한 일이었다. 나는 현성에게 장난을 걸어보았지만, 그는 미소로 화답할 뿐 평소와 같은 톤으로 말하고 평소처럼 걸었다. 한결같은 태도로 앞서 걷는 그를 보며 내 마음을 가늠해보았다. 늘 어른스러운 모습을 선망하고 있었다. 어쩌면 좋아하고 있었는지도 모른다. 현성이 먼저 입을 열었다.

-시험 잘 봤나?

-그럭저럭, 닌?

-나야 뭐....

뭐라 덧붙여 말한 것 같았지만, 낙엽이 구르는 바삭한 소리에 제대로 듣지 못했다. 촉석루를 지나서 성벽을 따라 안쪽 깊은 곳까지 걷다 보니 졸업 앨범 사진을 찍은 국립박물관이 보였다.

-야, 우리 여기서 사진 찍었다이가.

어쩐지 무거워진 분위기를 바꿔보려 발랄하게 말했다.

-그러게, 졸업 앨범 사진은 왜 봄에 찍나 몰라. 그땐 니랑 내랑 진짜 안 친했는데.

한갓진 벤치 위 낙엽을 손으로 쓸곤 무심하게 앉는 그를 보았다. 언제부터였을까. 전혀 다른 무리였던 우리가 함께 어울리기 시작한 게. 벚나무 가지 끝에서 봉오리가 터지던 봄에서 느티나무 이파리가 잔디 위로 소복하게 쌓인 가을이 되기까지의 시간은 무슨 의미였을까. 하지만 그런 건 내가 가늠하기에 너무 아득했고, 불 꺼진 박물관 건물처럼 우리 앞엔 아무것도 없는 듯했다. 마치 한순간에 계절이 바뀐 것만 같았다. 나는 마른 낙엽을 밟으며 벤치 쪽으로 다박다박 걸었다. 말없이 앉아있는 현성도 나와 비슷한 생각을 하고 있는 것 같았다. 우리는 나란히 굴러가는 낙엽을 바라보았다.

*

올봄에 같은 반이 되기 전까지 현성과 나는 접점이 없는 사이였다. 그는 소위 노는 아이들 무리에서도 중심에 있는, 먹이사슬 꼭대기에 사는 학생이었고, 나는 전형적인 우등생으로 선생들의 기대를 한 몸에 받으며 이름보다 '전교 1등'으로 불리는 게 익숙한 모범생이었다. 그와 내가 사는 세계는 극명하게 달랐다. 하나 이제 와 보면 같은 학교에서 고등학생으로 살아가는 우리는 서로의 우주에서 가장 높은 곳에 있었다고 말할 수 있지 않을까. 물론 이걸 공통점이라 하기엔 억지스럽지만, 어쩐지 꼭대기에 홀로 선 이는 쓸쓸하기 마련이고, 현성과 내가 친해질 수 있었던 이유이기도 하므로. 분명 나의 정상에서 내다보면 저 멀리 건너편 꼭대기엔 현성의 실루엣이 보였다. 흐릿하게 보이던 우리들의 3학년, 첫날을 기억한다.

M고등학교 교문 앞엔 키가 큰 은행나무가 줄지어 심겨있었다. 2년이나 다닌 등굣길임에도 나는 그 풍경이 도무지 익숙해지지 않았다. 대부분의 날엔 황망해

보였고, 한때 노랗게 반짝이더라도 지독한 은행 냄새며 구석에서 썩어가는 은행잎 더미는 아름다움과 멀어도 너무 멀어 보였다. 내가 살아온 날들이 저 악취 나는 쓰레기 더미라 말하는 것만 같았다. 빠르게 걸으면서 얼른 이 길을 벗어나고 싶다고, 다시는 이곳으로 돌아오고 싶지 않다고 자주 생각했다. 교문과 본관을 지나 학교 가장 안쪽에 지어진 건물까지 걸었다. 선배들이 떠나고 3학년이 된 우리들이 머물 새로운 공간이었다. 좋은 기운이 가득한 터에 단독으로 지어진 별관은 명성에 비해 허름하고 어두침침했지만, 어쨌거나 고3 입시생이 되어 좋은 기운을 향해 첫발을 내디뎠다. 배정받은 반은 4층에 있었다. 3학년 8반. 짙은 푸른색 교실 표찰을 눈에 담은 뒤 교실로 들어서자 그간의 새 학기와는 확연히 다른 분위기가 압도했다. 긴장감이 감도는 공기를 가르고 자리에 앉았다. 아주 크게 바뀐 동시에 이전과 다름없다고 마음을 다잡았다. 고3이 되기 위해 태어난 것처럼 살아온 내게는 자연스러운 마음가짐이었다.

3학년은 선택한 탐구영역으로 반을 나눴고, 생물 II와 화학 II를 선택한 우리 반의 담임은 생물 교사였다. 그는 교탁에 서서 굳은 표정의 아이들에게 간단명료한 당부로 첫인사를 마쳤다. 모두가 이 상황을 낯설어했고, 조심스러웠다. 1교시도, 2교시도 쥐 죽은 듯 조용하게 지났다. 점심시간도 이전처럼 왁자하지 않았는데 1, 2학년 역시 마찬가지였다. 서툴러 보이는 걸음걸이, 딱 봐도 1학년이었다. 저들도 새로운 세계에 첫발을 딛고 긴장했겠지. 2학년들도 별반 다르지 않았다. 우리가 그랬듯이 그들도 들었을 것이다. 지금이 가장 중요한 때라고. 고3까지 딱 1년 남았다고. 급식실로 걷는데, 옅은 소름이 끼쳤다. 천 명에 가까운 학생들이 그날만을 위해 모인 부품처럼 움직이는 장면이 메스꺼울 지경이었다. 그 선두에 내가 서 있다는 사실이 가장 싫었다. 결국 점심을 반도 먹지 못한 채 교실로 돌아와 자리에 앉았다. 남은 점심시간도, 오후 수업도 단조롭게 흘렀고, 저녁을 먹은 뒤엔 야간 자율 학습이 이어졌다. 말이 좋아 자율 학습이지, 결코 자율적이지 않은 야자 말이다. 특별했던 건 M고등학교에는 정독실이 있었는데, 전교 석차 상위 20명에게 내어주는 별도의 야자실이었다. 건물 1층 가장 안쪽에 위치한 정독실 첫 번째 자리가 내 자리였다. 석차 순으로 20명의 학생이 석식을 먹은 뒤 정독실에 짐을 풀었다. 자연히 나머지 학생들은 교실에서 자율 학습을 했다.

야자 시간이 끝나면 사위가 까만 밤이었고, 우리들은 학원으로, 독서실로 떠났다. 하루는 쉽게 끝나지 않았고, 새벽 늦게야 짧고도 깊은 어둠을 지나 아침이 밝아왔다. 그러면 나는 어제와 같이 은행나무를 빠르게 지나 아무렇지 않게 별관까지 걸었다. 화요일도, 수요일도 평온했다. 매일이 똑같았다. 하지만 아무 일이 벌어지지 않는 별관의 고요는 도리어 스릴러 장르 영화의 한 장면 같았다. 언제 무슨 일이 터질지 모르는 긴장 속 폭풍전야 같은. 저 많은 아이들의 내면에서는 대체 무슨 일이 벌어지고 있을까. 아무도 아무렇지 않다는 건 말이 안 되는 일이라 생각했기 때문이다. 한 치 앞을 내다볼 수 없었지만, 나 역시 그들 사이에서 애써 무덤덤한 얼굴로 정규 수업과 야자를 반복했다. 견디기 힘든 문제라면, 내가 속한 정독실이 초긴장 상태였다는 점이었다. 한 문제 차이로 등급과 석차가 결정되는 일에 혈안이 된 그룹. 나를 제외한 19명의 학생들은 저마다의 목표를 향해, 어떤 걱정도 없는 듯이 집중했다. 이런 생각이 덮쳐올 때마다 문제집 넘어가는 소리가 나를 옥죄었다. 무언가 당장에라도 터질 것만 같았고, 차라리 터져버렸으면 싶었다.

하루하루가 정적 속의 굳은 얼굴로만 채워질 것 같았지만, 때는 3월이었고 봄이 오고 있었다. 아니나 다를까 하나둘 원래 자리로 돌아가기 시작했다. 칠판 모퉁이에 아침마다 업데이트되는 수능 디데이 카운팅에 긴장하는 아이들이 있는 반면, 뒷자리로, 사물함 위로, 옆 반으로, 운동장으로 관성의 법칙을 따르듯 움직이는 애들이 더 많았다. 익숙한 곳을 찾아가는 섭리는 틀리지 않았고, 봄바람이 불어오는 오후엔 죽어있던 학교 전체가 날뛰듯 했다. 혈기 왕성한 아이들이 주체할 수 없는 힘으로 떠들고 뛰어다니는 통에 건물이 흔들리는 것만 같았다. 만성 두통에 시달린 나는 어지러움을 견디기 힘들었다. 환기라도 시키면 그나마 괜찮아 창가에 자주 서 있었는데, 그즈음 눈에 든 게 현성이었다. 현성을 모르는 학생은 없었다. 큰 키에 다부진 몸, 잘생긴 얼굴만으로도 충분히 유명했지만, 그는 우리 사이 용어로 일명 통이었기 때문이다. 그런 그가 신경 쓰인 건 제 무리의 친구들이 어울려 놀 때도 홀로 묵묵히 자리를 지키고 앉아있어서였다. 생각보다 공부를 잘하는 앤가. 쉬는 시간에도 문제집을 들여다보는 일진이라니. 어울리지 않는 단어를 조합한 문장 같았다. 하지만 그의 눈치를 볼 수밖에 없던 아이들이 우리 반에서만큼은 살금살금 걷고, 속삭이듯 말했다. 그 점이 다행이라면 다행이었다. 종종 사물함에서 책을 꺼내 자리로 돌아가는 길에 현성을 보면 이런 생각도 들었다. 싸움도 잘하고 공부도 잘하면 부족한 게 없네. 내심 부러웠다. 현성은 여러모로 자유로워 보였고, 해방감 같은 단어가 절로 떠오르는 아우라가 있었으니까.

그날은 유난히 집중이 되지 않았다. 미세한 소음조차 용납하지 않는 분위기, 머릿속을 부유하는 질문들. 머리까지 지끈거리기 시작해 서랍을 뒤져보았지만, 두통약이 보이지 않았다. 바람이라도 쐴 겸 조금 걸을까 했는데 밤바람이 생각보다 쌀쌀했다. 겉옷을 챙기러 돌아가고 싶지는 않았다. 화장실마저도 쉬는 시간에만 가는 정독실 아이들로부터 멀어지고 싶었다. 나는 자연히 계단을 한 칸씩 밟았고, 어느새 4층 우리 반 교실 앞이었다. 창문 너머 안을 들여다보니 듬성듬성 비어있는 자리가 보였다. 이어폰을 꽂은 채 집중하고 있는 아이, 핸드폰 게임에 몰두한 애들도 있었다. 그때였다. 옥상 쪽에서 기척이 들려왔다. 평소의 나라면 그냥 돌아갔을 텐데 그날은 달랐다. 호기심이 일었고, 용기 비슷한 기운도 들었다. 옥상으로 이어지는 캄캄한 계단을 몇 칸 오르니 층계참에 누군가 서 있는 게 보였다. 흐릿한 실루엣이 미세하게 움직였고 불꽃이 일었다. 나는 잠깐 별똥별이라는 단어를 떠올렸지만, 그럴리 만무하다는 생각이 빠르게 사고를 다잡았다. 불꽃이 비춘 얼굴은 다름 아닌 현성이었다. 그의 손에는 담배 한 개비가 타들어 가고 있었다. 흠칫 놀란 나와 달리 그는 의연하게 담배를 피웠다. 마치 기다리고 있었던 것처럼 빤히 내려다보며 연기를 내뿜었다. 나는 겁에 질렸다. 내가 속한 세계와는 달라도 너무 다른 어느 세계. 가늠할 수도, 엿볼 수도 없는 그런 곳에 속한 현성이었기에 해코지를 당할지도 모를 일이었다.

-미...미안.

서둘러 자리를 피하려던 나를 그가 불러 세웠다.

-전교 1등, 뭐 하나 물어봐도 되나?

*

다음 날 야자를 시작하고 30분이 지난 뒤, 정독실을 빠져나왔다. 4층까지 오르니 현성은 복도에 미리 나와 있었다. 발끝을 구르는 현성이 기대어 선 신발장 위엔 문제집이 놓여있었다. 다가가서 보니 지구과학Ⅰ이었는데, 새로 산 것인지 빳빳하고 하얬다. 이거 좀 알려주라. 현성의 손가락은 대륙에 관한 문제를 가리키고 있었다. 한창 설명을 이어가고 있을 때였다.

-여서 뭐하노?

그 소리에 현성이 먼저 고개를 들었고, 나는 뒤를 돌아보았다. 야자 감독 선생이었다.

-닌 정독실에 안 있고 와 여있노.

그는 전교 1등과 일진이 함께 문제를 풀고 있는 이 상황을 전혀 이해하지 못했다. 그의 성화에 현성은 교실로 돌아갔고, 나는 교무실로 불려 갔다.

-도현성 쟈가 뭐라카대? 괴롭히드나? 솔찌 말해도 된다.

몰아치는 그에게 나는 아니라고, 정말 지구과학 문

제를 알려주고 있었을 뿐이라고 몇 차례 호소했으나 내 말은 전혀 통하지 않았다. 그는 메모지를 뜯어 자신의 핸드폰 번호를 적어 건넸다.

-말하기 그라믄 내한테 문자해라.

체념한 채로 교무실을 빠져나온 손에 들린 쪽지. 정독실로 돌아가는 길에 쪽지를 갈기갈기 찢어 쓰레기통에 버렸다. 왜인지 심술이 났고, 나는 그 마음의 정체를 모른 채 자리에 앉아 야자 시간을 채웠다. 다음 날 아침 1교시가 시작하기 전에 현성의 자리로 갔다.

-어제 물어본 거 지금 알려줄게.

-됐다.

현성은 쌀쌀맞은 투로 말하더니 고개를 처박고 어제 그 문제를 다시 들여다보았다. 하지만 점심시간에도, 7교시가 끝나고 나서도 현성의 자리에 놓인 문제집은 같은 페이지에 멈춰있었다. 종일 그 문제가 머릿속을 사로잡고 있었다. 결국 나는 저녁을 먹은 뒤 현성의 자리에 쪽지를 남겨두었다.

<야자 2교시 시작하고 십 분쯤 있다가 정독실로 내려온나. 거긴 선생들 안 온다.>

시간에 맞춰 복도로 나가보았지만, 현성은 없었다. 한참을 기다려도 그는 나타나지 않았다. 며칠째 신경은 현성에게 곤두서있었는데 그에게 말을 걸 상황은 아니었다. 우리의 세계는 판이하였으니까. 그와 나의 모의는 부자연스러워 보이는 것이었으니까. 어영부영 하루가, 이틀이, 주말이 지났다. 다음 주 월요일 아침 일찍 등교했을 때, 아무도 없어야 할 교실에는 현성이 앉아있었다. 놀란 나와는 다르게 이번에도 마치 기다리고 있던 것처럼 현성이 말을 걸어왔다.

-그때 그거 다시 물어봐도 되나?

나는 가방을 풀고 그의 자리로 다가가려 했지만, 지금 말고 이따 야자 시간에. 그는 딱 잘라 말했다. 가방을 풀다 말고 어정쩡한 자세로 서서 알겠다고, 그럼 야자 2교시에 정독실 앞에서 보자고 나는 순순히 답했다. 그날 저녁 정독실 앞엔 현성이 서 있었고 신발장 위엔 여전히 같은 페이지에 멈춘 그의 지구과학 문제집이 놓여있었다. 나는 끝내지 못한 풀이를 마친 뒤, 지구과학의 시작 부분에서 막힌 현성에게 선심 쓰듯 말했다.

-또 모르는 거 있으면 물어봐도 된다. 내일도 올래?

-니도 니 공부해야 된다이가.

현성은 입술을 달싹거리다 말했다.

-그럼 목요일에 물어봐도 되나?

나는 고개를 끄덕였다. 현성은 나를 4층까지 오게 하는 게 미안하다며 이번에도 자신이 1층으로 오겠다고 덧붙였다. 어쩐지 그것이 이유의 전부는 아닐 거란 짐작이 들었지만, 더는 물을 새도 없이 현성은 문제집을 챙겨 계단 쪽으로 걸어가 버렸다. 사흘 뒤 목요일에도 현성은 정독실 앞으로 찾아왔다. 펼친 페이지의 모든 문제가 붉은색으로 줄이 그어져 있었다. 나는 차근차근 현성이 틀린 문제를 설명해주었다.

-다음 주엔 화요일에 와도 되나?

이번에도 나는 알겠다고 했다. 현성은 화요일에 정독실 앞으로 나타났고, 매주 화요일과 목요일마다 지구과학을 공부하기 시작했다. 그렇게 야자 시간에 만난 지 3주쯤 흐른 목요일이었다. 시간에 맞춰 오던 평소완 다르게 5분이 지나도 현성이 모습을 드러내지 않았다. 10분을 기다려도 오지 않아 교실까지 올라가 보았지만, 현성의 자리는 비어있었다. 다음 날 현성은 책상에 엎드린 채 오전 대부분을 보냈다. 나는 그가 걱정

되었지만, 속만 앓을 뿐 말을 걸 순 없었다. 우리는 교실에서 대화를 나누는 사이, 그러니까 친구가 아니었다. 비밀스럽게 만나 지구과학을 공부하는 게 전부였지, 함께 급식실로, 매점으로, 집으로 가는 사이는 아니었다. 주말에도, 월요일에도 내내 그가 신경 쓰여 공부가 손에 잡히질 않았다. 하지만 그를 만날 수 있는 시간은 화요일과 목요일, 야자 시간뿐이었다. 다시 화요일이 되었고, 현성은 지구과학 문제집을 겨드랑이에 낀 채 정독실 앞에 나타났다. 현성은 친구들과 야자를 째고 놀러 갔다고 털어놓았다. 솔직하게 말하지 않아도 이미 알고 있는 사실이었다. 지난주 금요일 아침부터 그는 담임에게 혼이 나고 있었으니까. 차라리 변명이라도 하지, 거짓으로 둘러대기라도 하지. 무구한 표정으로 문제 풀이를 기다리는 그의 얼굴을 한 대 쥐어박고 싶은 충동을 억누를 수밖에 없었다.

함께 공부한 시간이 한 달을 넘어가자 현성의 질문은 눈에 띄게 늘었다. 하지만 이런 식으로는 더딜 게 뻔했다. 그에게는 체계적이고 기본에 충실한 공부가 필요했다. 그렇다고 해서 내가 그의 과외 선생이 되어줄

노릇은 아니었다. 고작 야자 시간에 숨어 만나는 이상한 사이일 뿐이잖아? 생각이 엇나가기 시작하자 속에서 끊임없는 질문이 샘솟았다. 왜 야자 시간이어야만 하는 걸까. 학생이 공부를 한다는데 그게 뭐가 문제라고. 가오 상하는 일이라서? 아님 나랑 붙어 다니는 게 부끄러워서? 그날 잔뜩 심술이 난 채로 현성과 정독실 앞에서 만났다. 교실에선 편하게 인사조차 나눌 수 없는 사이라는 게 나를 열패감에 젖게 했다. 비꼬는 투로 그에게 말했다.

-야 근데 니는 기본 개념을 좀 더 쌓아야 할 거 같은데? 문제만 푼다고 실력이 느는 것도 아니....

-그럼 어떡하면 되노?

현성은 꿈쩍하지 않았다. 오히려 적극적인 태도로 내게 한 걸음 더 가까이 다가왔다. 순간 열린 창으로 이름 모를 꽃향기가 불어와 코끝을 간질였다. 이런 와중에 현성의 얼굴을 보고 있자니 얼어있던 온 마음이 사르르 녹아내렸다. 현성 역시 손가락으로 코를 쓱쓱 닦더니 창밖을 내다보았다. 그날 밤, 나는 과목별로 정리해둔 노트들 사이에서 지구과학 노트를 찾아 현성에게 건넸다.

-지구과학 개념 정리해둔 건데 이거 먼저 봐라.

현성은 내가 건넨 낡은 노트를 받아 들곤 고맙다, 하고 짧게 답했다. 그는 이내 문제집으로 시선을 돌리고 다음 문제의 설명을 기다리고 있었다. 얌전한 고양이 같은 모습을 보고 있자니 그가 정말인지 진심을 다해 임하고 있음을 느낄 수 있었다. 나는 언제 저런 눈으로 무언가를 탐구했던가. 잘 기억나지 않았다. 초롱초롱한 눈빛으로 열렬히 궁구하는 이의 얼굴을 단 한 번도 본 적이 없었다. 내게도 그런 시절이 있긴 했는지조차 확신할 수 없었다. 그간의 비뚤어진 마음들이 부끄러웠다. 적어도 이 시간만큼은 열과 성을 다해 그에게 알려주어야겠다고 다짐했다. 그로부터 한 주 뒤, 현성은 내가 준 노트를 돌려주었다. 벌써 그만두려는 건가 싶었는데, 신발장 위에는 빼곡하게 옮겨적은 새 노트가 한 권 더 놓여있었다.

-이걸 다 베껴 적었나? 그냥 가져도 되는데.

-깜지 하도 많이 해서 금방 한다. 니한테는 소중한 거다이가.

-아니면 그냥 복사를 하지 이걸 다 적었다고?

-받아 적으면서 한 번씩 읽어볼 겸....

현성의 새 노트는 내 것과 같은 것이라 해도 믿을 만큼 똑같았다.

*

4월 중순, 우리는 졸업 앨범 사진을 찍기 위해 J성 공원에서 모였다. 남강이 내려다보이는 촉석루 주변으로 아이들이 모이는 동안 강가로 내려갔다. 발치로 밀려온 강물이 더는 다가오지 못하고 찰박하는 소리를 내곤 멀어지고 있었다.

-조심해라. 거기 존나 깊다.

강변 구석진 곳, 버드나무 가지가 늘어진 아래에 현성이 서 있었다. 그때 뺨으로 강물이 튀었다. 볼을 닦고 우물쭈물하는 사이 현성은 촉석루 쪽으로 도로 올라갔다. 남겨진 자리에서 강 건너편을 내다봤다. 청명한 하늘에 적당한 바람이 부는 기분 좋은 날씨였다. 볼을 간질이는 바람에 옅게 밴 풀 내음을 맡으니 나른해졌다. 나도 그만 자리를 털고 일어나 촉석루 앞으로 돌아갔다. 아이들은 한껏 신이 난 듯했다. 단지 매일같이 반복되는 일상을, 지긋지긋한 학교를 벗어나 그런지도 모른다. 그간 어떻게 학교에서 지냈던 것인지 믿기 어려울 정도였다. 개인 촬영이 진행되는 동안 친한 아이들끼리 모여 디지털카메라로 사진을 찍으며 저마다 시간을 보냈다. 나는 잔디에 앉아 왁자하게 웃고있는 현성과 그의 무리를 바라봤다. 우스꽝스러운 표정으로, 서로에게 엉켜 넘어지고 넘어뜨리는 장면을. 나도 저곳에, 현성과 같은 무리에 속하고 싶었다. 한 번도 누군가와 그런 식으로 장난스레 놀아본 적이 없었다. 아주 어렸을 때, 유치원생일 때도 나는 얌전했다고 한다. 하지만 내 속엔 늘 욕망이 있었는데, 겉으로 보이는 것과 다르게 내면에선 늘 비명을 지르고 있었다. 저들과 같이 어지럽혀진 장난에 유혹됐지만, 몸이 따라주지 않았다. 마음이 막아섰고, 매번 속으로 삼키고 말았다.

개인 촬영이 끝난 뒤엔 반 단체 사진 촬영이 이어졌고, 마지막으로 그룹 촬영이 남아있었다. 번호순으로 예닐곱 명씩 지어진 그룹에 현성과 나는 함께 속했다. 우리는 커다란 바위를 둘러서서 다리를 하나씩 올리고 최대한 멋진 척을 하며 사진을 찍었다. 현성이 낸 아이디어였다. 현성이 이렇게 사교적인 성격이었던가. 현성을 둘러싼 애들 모두 즐거워 보였다. 그러고 보면 현성의 주변에는 늘 아이들이 끊이질 않았다. 다들 그를 두려워하면서도 그를 좋아했다. 현성을 필두로 둥글게 선 우리 그룹은 이빨을 훤히 드러내고 웃으며 사진을 찍었다.

학교 주변으로 꽃잎이 가득 흩날리는 시간은 금방 지났다. 이파리들이 하루가 다르게 짙은 색을 발하며 몸집을 키웠고, 나뭇가지들은 힘껏 자태를 뽐냈다. 학교를 에워싼 숲에서는 매미들이 가열하게 울기 시작했고, 축구장에 농구장, 테니스장까지 구석구석 활기를 띠었다. 여름이 시작할 즈음엔 현성과의 지구과학 공부가 익숙해진 뒤였다. 나만 그런 게 아니라 현성에게도 마찬가지였다. 화요일엔 문제 풀이와 질문을 위주로, 목요일에는 개념을 다지는 방식으로 자리를 잡았다. 개념부터 탄탄하게 다지니 아는 것도 많아지고 그만큼 궁금한 것도 많아지는지 야자 2교시의 대부분을 복도에 서서 대화를 나눠야 했다. 그러면 나는 야자를 마치고 집 앞 독서실에서 새벽까지 부족한 공부량을 채워야 했다. 물론 피곤한 일이었지만, 내겐 익숙한 생활이기도 했다. 그즈음이었을 것이다. 불안도, 두통도 차츰 옅어지고, 오히려 공부는 더 잘 됐다. 집으로 돌아가는 새벽길 발걸음이 가벼웠다. 서툴지라도 현성과 나는 시행착오를 겪으며 우리에게 맞는 방식을 차근차근 갖춰나갔다. 그리고 나는 화요일과 목요일을 기다리기 시작했다.

M고등학교는 학교 전체를 둘러 울타리마다 장미 덩굴이 가득했는데, 나는 3년 만에 처음으로 그곳에 꽃이 핀다는 사실을 발견했다. 교화가 장미라더니. 담 넘지 말라고 심어둔 덤불이 아니었구나. 나는 점심시간마다 별관 후미진 곳의 벤치에 앉아 장미 향을 맡으며 시간을 보냈다. 장미 향이란 게 그간 막연하게 생각했던 것과는 달랐다. TV 광고에서 접한 진한 화장품 냄새를 생각했지만, 장미 근처에 앉아있으면 부드럽고 온화한, 시원한 향이 바람을 타고 왔다. 큰바람이 이파리를 쏴-아 하고 흔들며 불어오면 온갖 것들의 여름 냄새가 나를 간지럽혔다. 나는 장미가 흐드러진 담장을 등지고 앉아서 별관 건물과 도서관 건물 틈으로 운동장을 뛰노는 아이들이 갸름히 보이는 그 자리가

퍽 맘에 들었다. 기쁨인지 슬픔인지 모를 감정이 깊은 곳에서 피어오르는 기분이었고, 그간 생각해본 적 없던 것들에 대한 의문이 들기 시작했다. 내 삶은 해가 바뀌어도 늘 똑같았다. 어릴 적부터 선행학습을 해왔기에 학년만 바뀔 뿐 배우는 건 크게 달라지지 않았다. 오직 수능만을 위해 반복하고 나아가는 날들. 아무것도 바뀌지 않던 생활. 여름이 온다는 건, 이런 기분인 건가 싶었다. 간지러운 느낌에 가슴팍을 긁어도 보았다. 내가 살아온 삶은 무엇인지, 지금 난 어디에 서서 어디를 향하고 있는 건지 알 수 없었다. 학교에 이런 자리가 있다는 사실이 다행이었다. 오롯이 나일 수 있는 자리, 아무도 오지 않을 것 같은 공간 말이다. 왜인지 현성을 처음 만났던 날이 떠올랐다. 내겐 이 허름한 벤치가 의미 있듯 어쩌면 4층과 옥상 사이 계단참은 현성에게 이런 곳이 아닐까. 혹 그에게도 나와 같은 고민이 있을까. 그때, 정적을 깨며 한 무리의 아이들이 이쪽으로 걸어오고 있었다. 고개를 돌려보니 오른쪽 도서관 건물 뒤편으로 현성과 그의 무리가 자리를 잡는 참이었다. 그들은 그늘진 곳에 서서 담배를 꺼내 물었다. 저쪽에선 이쪽이 안 보이는 듯했다. 숨을 죽이고 있는데, 분명하게 전교 1등이라는 단어가 귀에 와 꽂혔다. 이어서 조야한 언행이 오갔다. 나는 그들이 하는 얘기를 대체로 들을 수 없었지만, 나에 대해 떠들고 있다는 것만큼은 알 수 있었다. 입을 다물고 있던 현성의 목소리가 들려왔다. 나는 그가 뱉은 말을 듣지 말았어야 했다. 아무래도 지금 있어서는 안 될 자리에 있는 것이 틀림없었다. 반대편으로 걸음을 재촉해 별관 뒷길로 벗어났다. 어디로 가야 할지 몰랐지만, 어딘가로 걸었다. 지금 여기가 아닌 다른 곳이면 어디든 괜찮을 것 같았다. 일순간에 곤궁해진 처지에 눈물이 핑 돌았고, 곧장 화장실로 들어가 얼굴을 벅벅 씻었다. 세면대에서 콸콸 쏟아지는 물소리에 광광 울리는 마음이 옅어지기만을 바라면서 의미 없는 세수를 하염없이 반복했다.

찬란하고 반짝이는 것만이 여름의 전부일 듯했지만, 현실은 녹록지 않았다. 교실 에어컨은 자주 꺼진 채였고, 선풍기는 틈만 나면 고장 났으며 땀에 전 체육복에서는 쉰내가 진동했다. 가만히 앉아 책을 보는 게 고역이었는데, 하필이면 두통약은 빈 통만 남아있었다. 교실에서도, 정독실에도 앉아있을 수 없을 것만 같았다. 밑천이 바닥난 것처럼, 가난한 마음이 휑뎅그렁하게 드러났다. 사소한 모든 것에 참을 수 없이 화가 났고, 애먼 선풍기에 화풀이를 하고 말았다. 천장에 달린 고장 난 선풍기가 탈탈거리며 돌아가는 소음이 문제였다. 정독실 분위기는 일순 어수선해졌고, 우리는 결국 교실에서 남은 야자 시간을 이어가기로 했다. 이 감정의 귀결이 나 자신임을 모르지 않았다. 문제집 몇 권을 챙겨 나서는 나를 정독실 멤버인 승우가 서둘러 쫓아왔다.

-걔는 왜 그렇게 오버를 하는지.

-....

-야자 하는 내내 구시렁거려서 미치는 줄.

승우는 내 눈치를 살피며 괜히 옆자리 아이를 흉봤다. 나는 모르쇠로 이어받았다.

-너희 자리 바로 위에 선풍기라 시끄럽잖아.

-참을 만하다. 그리고 거슬리면 쌤한테 가서 말하면 되지. 그건 또 죽어도 싫어서.

그 말의 화살이 나를 향한다는 사실을 충분히 알고 있었다. 승우는 말실수를 한듯 입을 틀어막는 시늉을 해 보였지만, 일부러 그런다는 사실도 모르지 않았다.

승우의 자리, 그러니까 10위권 아이들이 얼마나 눈에 불을 켜고 공부하는지 모를 수 없었다. 그 자리는 시기와 질투, 그로 인한 짜증과 예민, 기대와 실망으로 범벅된 아이들이 엎치락뒤치락하는 곳이니까. 그러는 사이 우리는 4층까지 올랐다. 교실에 들어서기 전, 승우가 결심이라도 한 듯 나를 붙잡고 물었다.

–핸우 니 도현성이랑 같이 뭐하나?

사건이란, 만화영화 속 악당처럼 선명한 정체가 눈앞에 나타나는 게 아니라 아무도 모르게 스멀스멀 덮쳐오는 안개 같은 것임을 열아홉의 나는 어렴풋이 알 수 있었다. 지구가 시속 1,660km의 속도로 자전하고 있다는 사실을 알고도 우리는 마치 지구가 멈춰있는 것 같다고 느끼듯, 나는 그간 모르고 있었다. 모두의 눈을 피했다고 생각했지만, 우리는 너무 많은 이들에게 노출되어 있었다. 두 학생이 정독실 앞에 서서 무언가를 하고 있는 장면은 시선을 사로잡기에 충분했고, 흥미로운 가십거리로 제격이었다. 도통 어울리지 않는 조합이라면, 더구나 그 사람이 전교 1등과 일진이라면 말이다. 현성과 나, 둘만 눈치채지 못했을 뿐 다들 알고 있었다. 다만 현성에게 물어볼 자신이 있는 사람이 없었고, 내게 사사로운 말을 걸어오는 애들도 없었기 때문에 우리만 몰랐던 것이다. 주말이 지나고 월요일 아침부터 담임은 나를 교무실로 호출했다.

–니 요새 도현성이랑 노나?

나도 모르게 손톱을 물어뜯고 있었다. 담임은 이미 다 알고서 심문하는 형사 역할에 심취한 듯 나를 쏘아붙였다.

–너거 둘이 맨 붙어 다닌다 카든데.

나는 오리발을 내밀 심산이었다. 하지만 옆에서 학생 주임 선생이 거들고 나섰다. 학기 초 야자 시간에 현성과 나를 본 수학 선생이었다.

–쌤, 내가 학기 초에 봤다니까. 그때부터 둘이 붙어 있는데 영....

그동안 내 귀에 닿지 않았단 게 의문일 정도로 지척에 널린 목소리들, 따가운 시선과 해괴한 이야기들이 버젓했다. 누군가에게 나는 불쌍한 피해자였고, 어느 누구에게 나는 뒤에서 호박씨나 까는 더러운 놈이었다. 하지만 어떤 반박도 할 수가 없었다. 무슨 말을 할 수 있을까. 어떻게 얘기하는 게 맞을까. 교실로 돌아갔지만, 현성의 자리는 비어있었다. 의논할 사람도, 기댈 자리도 없었다. 하나 현성을 보고 싶지 않았기 때문에 차라리 잘된 일이라는 생각도 들었다. 현성이 뒤에서 나에 대해 어떻게 말하고 다니는 줄도 모르던 나 자신이 바보 같았다. 더는 나와 상관없는 사람이라 생각해야 했다. 모든 일이 벌어지기 전으로, 이전으로 돌아가면 될 일이었다. 그렇다. 아무렇지 않게 행동하면 아무것도 아니게 될 일이었다. 하지만 그들의 눈총도, 다 들리게 수군대는 말도 중요하지 않았다. 오직 지구과학 문제집을 펼쳐놓고 정독실 앞에서 내게 귀 기울이는 현성만이 염려되었다. 이런 역설적인 심상을 도무지 이해할 수 없었다. 대체 왜 그를 걱정하는지, 스스로에게 화가 났고 현성에 대한 생각을 접으려 할수록 이상하게 선명해지기만 했다. 현성이는 괜찮을까. 큰일이 생긴 건 아닐까. 혹시 도망이라도 간 걸까. 그날 현성은 학교에 나타나지 않았다. 이튿날도, 사흗날도 등교하지 않았다. 하지만 담임의 반응은 뜨뜻미지근했고, 비어있는 현성의 자리를 살피는 애들도 없었다. 늘 붙어 다니던 무리의 어느 누구도 우리 반에 오지 않았으며, 반에서 현성과 같은 무리인 재성은 내내 책상에 엎드린 채였다. 한 공간에서 지내는 서른 명이 넘는 학생 중 한 명도 그를 걱정하지 않는 것처럼 보였다. 어째서? 나는 재성을 흔들어 깨워 현성에 대해 아는 게 있는지 묻고 싶은 충동을 수없이 억눌러야 했다. 화장실에 가던 길 복도에서 현성과 친한 무리의 아이들이 나누는 대화에서 그의 이름이 거론되었다. 누구도 현성의 행방은 모르는 듯했다. 그 옆을 지날 때 슬쩍 본다는 게 개중 한 명과 눈이 마주쳤다. 나는 얼른 시선을 돌렸지만, 그가 나를 불렀다.

-전교 1등, 니 도현성이랑 연락되나?

-아니, 번호도 모른다.

나는 떨리는 목소리를 감추고 퉁명스레 답하고는 화장실 쪽으로 계속 걸었다. 이어지는 대화가 여진처럼 조그맣게 들려와 나를 흔들었다. 거봐라 모르지 않냐. 재도 모르면 아무도 모른다.... 세면대에서 손을 씻으며 생각했다. 현성은 누구보다 많은 관심을 받는 사람처럼 보이지만, 실상은 아닐지도 모르겠다고. 어쩌면 가장 외로운 사람일 수도 있겠다고. 이전처럼 행동하려 해도 현성을 향하는 마음은 사라지지 않았다. 참고 참아 보았지만, 온몸이 무지근해져 아무것도 할 수 없었다. 오후엔 나도 모르게 몸이 움직였다. 재성의 자리로 걸어가 책상에 엎드린 그의 어깨를 톡톡 쳤다. 생각하지 않아도 말이 술술 나왔다. 현성의 안부에 대해 아는 게 없는지, 조금이라도 알고 있다면 내게도 말해 줄 수 있는지. 내 말을 듣던 재성은 졸린 눈을 비비며 말했다.

-현성이 내일 학교 온다.

재성은 그렇게 말하고는 책상에 엎드렸다가 이내 다시 일어나 덧붙였다.

-미안하대. 가가 니한테 전해주라드라. 그리고 걱정하지 마래.

나흘째 되던 날 현성은 등교를 했다. 아무렇지 않은 표정으로, 마치 어제도 왔던 곳인 것처럼 교실로 들어와 재성과 가볍게 인사하고 자리에 앉는 그를 보는데 오만 가지 생각이 스치고 가슴이 울렁거렸다. 현성은 곧장 지구과학 문제집을 펼쳤다. 현성의 세계에선 이러한 상황이 별일 아닌 걸까. 대수롭지 않게 여기고 어물쩍 넘어갈 수 있다고? 내가 속한 세계에서 풀지 못하는 문제란 없었다. 골몰하다 보면 맞아떨어지는 정답을 찾을 수 있었다. 만일 그렇지 않다면 문제가 잘못된 것이었다. 온종일 기분이 오락가락했다. 안도했고, 화가 났고, 억울했다. 걱정스러웠으며, 궁금하고 또 궁금했다. 무슨 일이 있었는지, 이제는 괜찮아진 건지. 감히 내가 물어도 되는지. 저녁을 먹은 뒤 교실로 들어서다 현성과 뒷문에서 마주쳤을 때, 그는 내 어깨에 손을 올리고 말했다.

-오늘 목요일이네. 이따 보자.

내 옆을 비껴 지나며 미소 짓는 현성. 멀어지는 그의 목소리와 발소리. 현성의 그림자가 내게 이토록 선명했던가. 그만 다리에 힘이 풀리고 말았다. 야자 시간 정독실 앞엔 현성이 와있었는데, 늘 그곳에 있는 사람처럼, 다시는 떠나지 않을 것처럼 현성은 지구과학 문제집을 들여다보고 있었다.

-오랜만.

-일주일만이네.

-미안, 화요일에 못 와서.

문제집을 보니 지난 일주일 동안 공부를 아예 놓고 있었던 건 아닌 듯했다. 현성은 틀린 문제를 문제집 여백에 꼼꼼하게 정리를 해왔는데 더는 개념을 확인하는 문제는 틀리지 않았다. 개념 확장형 문제에서 애를 먹는 그의 문제집을 보다가, 잠깐만 기다려달라 말했다. 나는 정독실로 들어가서 지구과학 오답 노트를 꺼내왔다.

-이거 오답 노튼데, 내가 정리한 것만 봐도 좋고, 니도 이런 식으로 만들면 도움 될 거 같아서.

현성은 내가 정리해둔 노트를 찬찬히 훑어보다 말했다.

-전교 1등, 4층 안 가볼래?

낯설지만 아주 멀지 않은 곳. 우리의 시작이 된 자리, 계단참에 섰다. 창밖엔 현성의 말대로 별이 정말 많았다. 내게 별이란 교과서에서 본 것이 전부였다. 우주의 행성, 그 이상도 이하도 아니었으며, 밤하늘은 말 그대로 밤의 하늘을 말하는 단어에 불과했다. 까맣고 까만 하늘, 가끔 달이나 인공위성 정도가 반짝이는 게 고작이었다. 그런데 현성과 내다본 밤하늘은 파랗기도, 하얗기도, 어찌 보면 노랗기도 했다. 이렇게 오래 바라본 적은 처음이었다. 미운이 드리운 하늘의 한 지점을 콕 집으며 현성이 말했다.

-은하수 보이나?

은하수라니. 기분이 이상했다. 고작 북극성 정도를 찾는 게 전부인 내가 아는 별자리는 보이지 않았다. 책에 나오는 것처럼 선으로 이어진 별자리는 하늘에 없었다. 현성은 발음을 연습하듯 하나씩 차분하게 읊었다. 거문고자리, 백조자리, 독수리자리. 현성이 손끝으로 연결하는 별을 가만히 보았다. 내가 아는 익숙한 모양이 하늘에 희미하게 떠올랐다.

-이제 보인다.

-잘 보면 은근히 보인다니까. 학교 주변이 어두워서 더 잘 보인다.

-그러게. 여기 진짜 좋다. 1층보다 훨씬 더.

-그럼 이제 니가 올라 올래? 다시 저기서 하면 되지.

현성이 가리키는 쪽을 돌아보았다. 처음으로 지구과학 공부를 시작했던 우리 반 신발장이었다. 현성은 이토록 무성한 말들 사이에서 온전할 수 있을까. 변형되어 굳어진 말들의 공격에도 굳건하게 서 있을 수 있을까. 현성은 모른 체 하지 않고 내게 단호하게 말했다.

-남들이 뭐라 하든 말든 신경 끄면 그만이다. 내가 아니면 됐지.

-그런가….

-그 말이 진짜면 또 뭐 어때. 내가 그렇다는데.

현성이 나를 뚫어져라 보면서 말했다. 안광이 지배를 뚫는다. 그런 옛말이 떠올랐다. 현성의 눈을 보고 있으면 그랬다. 우리는 고요 속에서 야자 시간이 끝날 때까지 그곳에 서 있었다. 야자 종료를 임박하고 그는 내게 주말엔 어디서 공부하는지를 물었다. 내가 연암도서관에서 공부를 한다고 하자, 저도 가도 되는지를 이어 물었다. 엉뚱한 질문에 웃음이 터져 나왔다. 당연히 안 될 리 없지. 도서관은 아무나 이용할 수 있는 곳인데.

-아니 같이 가도 되냐고. 니 공부하는데 방해될까 봐….

달큰한 냄새를 품은 바람이 불었다. 현성이 손에 들고 있는 지구과학 문제집과 내가 준 오답 노트가 맞붙어 펄럭였다. 그와 나의 흔적들이 빼곡한 페이지가 요동쳤다.

-주말에 도서관 앞에서 만나자.

-그럼 번호 좀.

현성이 내민 핸드폰에 번호를 찍어 건넸다. 현성이 받아 들고 이내 내 핸드폰이 울렸다.

-전화 갔나?

바지 주머니를 뒤적이는 사이 현성은 핸드폰 화면을 눈앞에 바싹 갖다 댔다. 전교 1등이라고 저장된 내 번호가 보였다.

-전교 1등, 니도 내 번호 저장해라.

-어, 토요일에 내가 일찍 가니까 니 자리도 맡아 둘게.

*

평소보다 일찍 도서관에 도착해보니 입구 앞에는 현성이 서 있었다. 정독실 앞에서 나를 기다리던 자세 그대로, 원래 거기 있던 사람처럼. 마치 언제나 그래줄 것 같아 보이기도 했는데, 실상은 그래 주길 바랐던 건지도 모른다. 큼지막한 정문에 기대있는 현성이 장난감 병정처럼 보였다. 가만히 있지 못하고 공연히 발끝을 구르며 이리저리 시선을 던지는 그에게 다가갔다. 현성은 도서관이 처음이라고 했다. <동물 농장>에서 낯선 우리에 들어온 침팬지가 사육사 옆구리에 꼭 붙어있던 장면이 생각났다. 생소한 기색을 감추지 못한 채, 하지만 모든 것이 신기한 듯이 현성은 주변을 탐색하면서 나를 따라 종종걸음으로 걸었다. 응석꾸러기처럼 구는 현성이 싫지 않았다. 우리는 칸막이 좌석이 마련된 열람실에 들어가 나란히 자리를 잡았다. 자리에 앉고 얼마 지나지 않았는데 현성은 책상에 엎드려 잠이 들어있었다. 두 시간쯤 지나서야 일어났는지 부스럭거리는 그에게 손짓으로 바깥을 가리켰다. 건물 밖으로 나서서 등나무 벤치까지 걸으며 현성은 크게 기지개를 켜고 포효했다.

-공룡이가.

-좀이 쑤셔 죽는 줄 알았네.

-잘만 자더만. 안 하던 공부하려는데 쉽겠나.

벤치에 앉아 도시 풍경을 굽어보았다. 저 멀리 남강이 보였다. 그렇게도 도서관을 다녔건만 여기서 남강이 보이는진 몰랐다. 흘러가는 강물을 그윽이 바라보고 있으니 현성에게 궁금한 게 많았던 거 같은데 아무것도 생각나지 않았다. 정독실 앞 복도에 서서 지구과학 문제를 풀 때면 현성이 입에 달고 있던 말이 떠올랐다. 아, 내 물어볼 거 진짜 많았는데 왜 생각이 안 나지. 어쩌면 현성도 지금의 나와 비슷한 기분이었을까.

–이따 우리 집에 갈래?

갑작스러운 말이었지만, 평소 현성의 기탄없이 던지는 투가 아니었다. 즉답이 없자 현성은 고갤 돌려 내 쪽을 빤히 보며 본래 어투로 덧붙였다. 집에 아무도 없다고. 저녁을 혼자 먹기 싫어서 그러니 같이 먹자고. 우리는 늦은 오후까지 공부를 하다 도서관을 나섰다. 내리막길을 내려와 버스정류장까지 현성과 걸었다. 몇 년 동안 매주 반복한 일이지만, 누군가와 함께하는 건 처음이었다. 혼자만 걷던 길을 함께 걷는 것. 내 옆에 누군가 있다는 사실. 낯선 이 기분이 싫지 않은 게 아니라, 나는 참 좋았다. 현성의 집은 버스로 네 정거장 거리에 있는, 골목길 모퉁이의 한 빌라였다.

–이거 무슨 나문지 아나? 목련이다.

빌라 입구에 심어진 나무 한 그루. 무성한 잎 사이로 견과류 같은 열매가 보였다. 내가 아는 목련은 흰 꽃을 피운 모습이 전부였고, 처음 보는 여름 목련이 신기했다. 큼직한 잎에 선명하게 그어진 잎맥을 매만졌다. 손끝으로 오돌토돌한 감촉이 느껴졌다.

-니 이런 거 좋아하나?

-어렸을 때 아빠랑 심은 거라서 아는 기다.

계단을 오르고 집으로 들어섰다. 현관 오른쪽 방이 현성의 방이었다. 방안엔 차렵이불 한 장이 깔린 다소 작아 보이는 침대가 있었고, 새파란 이불에는 조그맣고 알록달록한 자동차 그림이 촘촘히 박혀있었다. 어린애가 쓸 법한 이불이었다. 현성은 민망했던지, 어릴 때부터 쓰던 거라 익숙해서 좋다며 거실로 걸음을 재촉했다. 나는 현성을 따라 나가며 은근슬쩍 그를 놀려 보기로 했다.

-의외로 귀여운 취향이네?

-처 돌았나.

걸음을 멈춘 현성이 정색한 얼굴로 뱉은 한 마디에 나는 그대로 굳어버렸다. 깜빡 잊고 있던 그의 본모습을 상기했다. 현성은 주방 쪽으로 걸어갔고, 우리는 저녁으로 라면을 끓여 먹었다. 요리에는 영 소질이 없는지 물을 냄비 가득 받아서 싱거웠지만, 군말 않고 먹는 내게 현성은 말했다. 혼자 먹는 양만 끓이다가 많이 끓이려니까 잘 안되네. 나는 김치를 집으며 생각했다. 먹을 만하다고. 맛있다고. 그릇에 닿는 쇠젓가락 소리, 면을 흡입하고 씹는 소리, 김치를 집는 동작만이 반복적으로 식탁을 채웠다.

-내일도 도서관 가나?

-어, 가야지.

-여기서 자고 같이 안 갈래?

입을 연 현성이 주저리주저리 늘어놓았다. 오늘 엄마 안 들어오셔서 혼자 자야되거든. 나는 그 말의 내막 정도는 알아들을 수 있었다. 어머니가 부재하는 집, 그러면 아무도 없이 홀로 남아있어야 하는 시간에 대해 더는 묻지 않았다. 혼자서 라면을 끓여 끼니를 때우는 현성을 생각했다.

-내가 침대에서 잔다?

-거긴 내 자리고. 닌 이따 바닥에 이불 깔아줄게.

불을 끄고 누우니 천장에 붙어있는 야광별이 눈에 들었다.

-별 엄청 좋아하나보네?

-어릴 때 붙여둔 건데 아직도 밝다. 존나 신기하제?

그대로 잠이 들었는지, 무슨 얘기를 더 나눴는지는 기억나지 않는다. 아주 깊은 잠이 들었음엔 분명하다. 다음 날 아침, 우리는 다시 도서관으로 향했다. 현성과 나는 당연한 일과인 듯, 익숙한 패턴처럼 주말마다 도서관과 현성의 집을 오갔다. 반복되는 일상에 우리는 익어갔다. 학교 복도에서 도서관으로, 그의 집으로 공간이 바뀌면서 꽃은 번화하게 만발하고, 설익은 열매가 탐스럽게 영글었다. 넓어지는 동시에 좁아지는 일이었다. 우리는 현성의 방에 있는 작은 책상에 어깨를 맞대고 앉아 지구과학을 공부했다. 그러다 거실로, 다시 책상으로 자리를 바꾸며 각자, 또 함께 지구과학 진도를 나아갔다. 점차로 가속이 붙어 어느덧 현성의 문제집은 붉은 동그라미로 가득했고, 절정에 달한 여름처럼 화사하게 반짝였다. 그와 함께 우리도 가까워졌다. 그렇담 언제부터였을까. 현성이 전교 1등, 하고 부르는 대신 내 이름을 부르기 시작한 게. 현성은 나를 전교 1등이 아닌 현우라 불렀다.

오랜 장마가 시작했다. 며칠 내내 폭우가 이어져 도서관에 가지 않기로 한 주말, 현성에게 문자가 왔다.

<뭐함?>

<독서실이지. 닌 집에서 공부?>

몇 분쯤 흘렀을까. 그에게서 온 답장은 이제껏 한 번도 받아본 적 없는 유의 문자였다.

<비 오는 날에는 창문을 열어봐.[*]>

다소 생뚱맞은 문장인지도 모른다. 하지만 그날의 내게는, 열아홉 살의 내게는 신선한 충격으로 다가왔다. 자리에서 일어나 휴게실로 가 창문을 열었다. 방범창이라 조금밖에 열리지 않았지만, 살짝 열린 창문 틈으로 차들이 빗길을 달리는 소리와 찬바람이 순식간에 들이닥쳤다. 갑작스러운 한기에 몸을 웅크렸다. 빗물이 토도독 소리를 내며 튀는 장면을 보다가 갑자기 눈물이 주룩 흘렀다. 어째서인지 모르겠지만, 나라는 존재를 이해받는다는 기분이 들었다. 몇 자락 구름이 걸린 하늘 아래 안온한 미풍이 불어오는 곳, 달그림자가 드리운 연못가에서 나누는 담소. 지금의 상황과는 전혀 다르고, 꿈에서나 볼 것 같은 장면이 떠올랐고 느껴본 적 없는 온기가 나를 위로했다. 휴게실을 학생 여

*김져니 『HOW TO LOVE MYSELF 나를 아끼는 60가지 방법들』

렷이 드나드는 동안, 시간 가는 줄도 모르고 한참을 앉아있었다. 핸드폰에는 현성이 보낸 한 통의 문자가 더 와있었다.

<공부 열심히 하고, 내일 학교에서 보자.>

*

얼마 지나지 않아 연월하던 장마가 사그라들며 짧은 여름 방학이 시작했고, 우리는 대부분의 날을 함께 보냈다. 연암도서관에서 만나 공부를 하다가 자판기 커피를 마시고, 매점에서 라면과 김밥을 사 먹었다. 가끔 도서관에서 내려와 김밥천국에서 돈가스 따위를 먹었고, 현성의 집으로 가면 그가 라면을 끓여주었다. 현성이 끓이는 라면은 점차 맛있어졌다. 그건 내가 그 맛에 익숙해진 탓도 있지만, 그보다 현성이 2인분의 라면을 끓이는 데 능숙해진 영향이 더 컸다. 냉동실에 남은 만두나 가래떡을 넣기도 했고, 현성의 어머니가 냉장고에 채워둔 갖은 김치를 곁들였다. 정갈하게 잘라 락앤락에 넣어둔 수박을 포크로 찍어 먹었고, 소쿠리에 담긴 여름 과일을 먹었다. 식탁 위에 올려둔 옥수수를 무심하게 집어 먹는 현성을 보는데, 문득 아무런 걱정이 들지 않았다. 지금 이대로 충분하다는 느낌이었다. 언젠가 현성이 했던 말이 이런 걸까 싶었다. 교실 책상에 엎드려 자는 쪽잠이 아닌 소파나 침대에 누워 편히 쉬고 잠드는 모양을 보고 있으면 안심할 수 있었다. 마치 우리 집에 온 것처럼 아늑했는데, 그곳은 가본 적 없는 집이었다. 우리 집에서는 느껴보지 못한 안락함이었기에 내가 가진 단어로는 설명하기 어려웠다. 달리 이해할 방도가 없어 구태여 깊이 생각하지 않기로 했다. 속수무책으로 나는 이 모든 것을 위화하기로 했다.

우리는 한 달에 한 번씩 대양서적에 들렀다. 문제집을 둘러보기 위함이란 핑계가 있었지만, 매달 내셔널지오그래픽 신간을 사는 것이 진짜 목적이었다. 서점에 들르는 김에 시내를 돌아다니거나 J성 공원으로 산책하러 가기도 했다. 그러다 저녁이 오면 다시 현성의 집으로 돌아가 저녁을 먹고, 공부를 하다가 밤새 잡지를 읽었다. 논쟁거리가 생기면 과월호를 뒤져가며 떠들곤 했다. 방해받지 않는 공간이 생기자 뭐든 터놓고 얘기할 수 있었다. 사실 별다른 말을 주고받은 건 아니었지만, 나는 그랬고, 현성도 그래 보였다. 책장을 빼곡히 채운 잡지 옆으로 가득한 책을 보면 궁금했다. 너절한 걸로 보아 여러 번 읽은 듯한데, 현성은 이 많은 책을 읽은 걸까. 잘 모르던 때의 현성과 지금의 현성은 달라도 너무 다른 사람 같았다.

-예전부터 궁금했는데, 니 책 읽는 거 좋아하나?

책장 앞에 앉아 묻는 나를 현성이 흘깃 보았다.

-그거 내 책 아이다. 행님꺼다.

나는 현성에게 형이 있는 줄은 몰랐다. 하긴 이 집에서 현성이 아닌 다른 사람을 본 적조차 없었다. 그날 밤, 불을 끄고 누워 잠이 들기 전 현성은 말했다.

-우리 행님 죽었다. 자살.

-미안.... 몰랐다.

-니가 왜 미안하노. 말 안 했으니까 당연히 모르지.

현성은 내게 자기 형에 대해 들려주었다. 바닥에 반듯하게 누워 현성의 말소리에 집중했다. 또박또박한 음성과 잠깐의 적막, 이어지는 떨림. 그를 꼭 안아주고 싶다고 생각했지만, 용기가 나질 않았다. 가족의 죽음, 자살, 남겨진 현성. 이런 단어는 열아홉의 내게 너무 낯설고 어려웠다.

-내 재성이랑 친한 거 알제? 어릴 때부터 존나 친했거든. 우리 행님 장례식 때 재성이가 와서 엄청 울더라? 막 내를 끌어안고 울고. 근데 그제서야 내도 눈물이 나더라고. 둘이서 부둥켜안고 한참 울었지. 그러다가 육개장도 먹고. 처음이다이가 그런 자리는. 그러고 금마가 밤새 내랑 같이 있어 줬거든. 3일 내내. 얼라처럼 그리 울다가도 내 옆에서 듬직하게 다 챙겨주는데 그게 그리 든든하대. 고마웠지 엄청. 그때 아마 처음으로 그런 말 해봤을걸. 고맙다고.

현성은 속에만 담아두었을 이야기를 조심스레 꺼내어 내게 보여주었다. 그건 마치 보물상자에 넣어둔 유리구슬 같았다. 너무 소중해서 깊이 숨겨둔, 함부로 만지기조차 두려워 아주 깊숙한 곳에 넣어둔 작고 반짝이는 구슬.

-근데 그거 아나? 처음이 어렵다고. 한번 해보니까 별거 아니데? 말이 길어졌는데 어쨌든 니한테도 말해주고 싶었다. 고맙다.

어떻게든 참아보려 했지만, 베개가 축축해질 만큼 눈물이 흘러나왔다. 뭐라도 말하려 입을 열면 정말로 터져버릴 것 같아서 아무 말도 할 수 없었다. 소리 죽여 우는 눈물의 이유를 정확히 설명할 순 없지만, 그때 현성이 들려준 고백은 슬픔만을 전제하는 건 아니었다. 열아홉의 내가 모르던 것들. 처음 겪어보는 감정과 기분들. 그 사이에서 내가 할 수 있는 일이라곤 소리를 삼켜가며 우는 일이 전부였다. 현성은 내가 울고 있다는 사실을 모르지 않았을 것이다. 현성은 무슨 생각을 하며 침대에 누워있었을까. 그도 나처럼 생각했을까. 나를 안아주고 싶었을까. 여름은 뜨거웠고 밤은 차차 식으며 깊어져 갔다. 그해 여름 방학은 짧고도 강렬했으며, 우리는 지구과학을 공부하듯 차근차근히 서로를 배웠음에 틀림없었다.

*

2학기가 시작하고 시간은 이전보다 빠르게 흘렀다. 저녁 식사를 마치고 별관 뒷공간의 벤치에 앉아 쉬고 있을 때였다. 간밤에 내린 이슬비에 젖어있는 낙엽을 밟는 소리가 가까워지고 있었다. 현성과 그의 친구들이겠거니 했는데 모습을 드러낸 사람은 다름 아닌 지구과학 선생이었다.

-현우? 여기서 뭐 해?

-소화 시킬 겸 쉬고 있어요.

그녀는 좁은 보폭으로 걸어 내 쪽으로 다가왔다. 벤치에 손수건을 한 장 올리며 차분한 음성으로 물었다.

-앉아도 돼?

그녀는 J시에서 고등학교를 졸업한 뒤 서울에서 대학에 다녔고, 몇 년 전 다시 J시로 내려온 터였다.

-여기 오는 사람은 아무도 없는 줄 알았는데, 나랑 현우랑 이 자리 공유하는 사이였네.

-쌤, 저 궁금한 거 있었는데 물어봐도 돼요?

-지구과학 문제만 아니면?

-당연히 아니죠. 쌤은 왜 다시 J시로 돌아왔어요?

-음, 그러게. 나 고등학생 때 여기 너무 지긋지긋해서 얼른 떠버리고 싶었는데, 왜 다시 왔을까?

그녀는 실없이 웃었다. 셔츠 깃에 닿는 단발머리가 바람에 흔들렸다. 머리칼을 귀 뒤로 넘기며, 그녀가 내게 물었다.

-참, 요즘도 현성이랑 지구과학 공부해?

-이젠 혼자서도 잘하더라고요. 저보다 더 잘하는

거 같아요.

-전교 1등이 너무 겸손한데? 우리 현우 덕에 현성이도 이제 지구과학 1등급이고. 너 선생에 소질 있는 거 아냐?

-현성이가 지구과학을 정말 좋아하더라고요. 쌤, 권적운이 우리말로 뭔지 알아요?

-글쎄?

-조개구름이래요. 이름 진짜 예쁘죠?

양떼구름, 두루마리구름, 안개구름, 소나기구름. 나는 현성과 함께 논하던 것들을 그녀와 얘기했다. 내 말을 흐뭇하게 듣고 있던 그녀가 말했다.

-너네 지구과학 진짜 좋아하는구나? 지구과학 II 해야 했을 인잰데 학교가 놓쳤어. 기억나? 3학년 올라오기 전에 과탐 선택할 때, 너희 둘만 지구과학 II 선택했잖아.

-저희 둘이요?

-응, 너랑 현성이.

처음 듣는 얘기였다. 단지 인원 미달로 지구과학 II를 배우는 반이 개설되지 않았다는 정도가 내가 아는 전부였다. 벙찐 표정의 나를 보고 있던 그녀가 말을 이었다.

-현우야, 아마 현우도 나랑 비슷한 경험을 하고 있는 건 아닐까? 쌤도 고등학생 때 지금 현우가 겪고 있는 고민을 했던 것 같아. 오랫동안 그런 시간을 보냈지. 그런데 쌤은 너처럼 그 시기를 잘 보내지 못했어. 그 친구와 사이좋게 지내지 못했달까. 분명 다시는 오지 않을 특별한 시간이고 귀한 경험인데. 그래서 솔직히 네가 부러워.

그녀는 눈가가 촉촉해진 듯 아련한 눈빛으로 말했다. 나는 그녀가 조곤조곤 하는 말을 듣고만 있었다.

-쌤은 먼저 가볼게. 현우도 얼른 야자 준비하고.

그녀가 사라지고 텅 빈 터를 보다 고갤 들었다. 4층, 환한 빛이 쏟아져 나오는 우리 반이 보였다. 지구과학 II를 선택한 학생이 단 둘뿐이라도 반이 개설되었다면 어땠을까? 아무리 소수일지라도 우리의 선택에 아무런 제약 없이, 그에 따른 기회가 동일하게 주어졌다면 나는 지금과 많이 다른 모습일까. 가만히 눈을 감고 책상이 두 개만 놓인 공간을 상상해보았다. 현성과 나, 우리 둘만의 3학년 8반을 그려보았다.

*

불 꺼진 국립박물관을 오래 마주하고 있으니 마치 건물이 살아 움직이는 것 같았다. 아무런 변화를 일으키지 못한다 해도, 그게 아무것도 바뀌지 않은 건 아닌 것처럼 밤의 J성 공원은 낮과는 다른 시간을 묵묵히 지나고 있었다. 나는 굳이 현성에게 다시 물었다.

-지구과학 몇 점인데?

-아마 다 맞았을걸.

-이제 지구과학 진짜 잘하네. 내 없어도 되겠다.

나는 내셔널지오그래픽 근간에서 읽은 행성 간의 충돌에 대해 생각했다. 저 먼 우주 어딘가에서는 우리가 모르는 새 그런 일이 벌어지고 있었다. 밤공기가 쌀쌀해져 자판기에서 따뜻한 커피를 뽑았다. 차가운 손을 녹이며 우리가 수도 없이 마신 커피를, 그 시간을 곱씹었다. 이제는 마지막이 될지도 모를 300원짜리 자판기 커피가 벌써 그리워지는 것만 같았다. 따뜻한 걸 마시니 금세 노곤해졌다. 현성과 그만큼 가까워졌다는 뜻이기도 했다. 그 순간 무엇이든 말해도 될 것 같은 충동이 일었다. 말하고 싶다는 기질인지도 모른다. 무슨 얘기를 한다 해도 지금을 꿈인 양 잊을 수 있을 것도 같았다. 현성이 자기만의 방에서 내게 고백해왔듯. 아무렇지 않게 깊은 잠이 들 수 있던 포근한 그날 밤처럼. 하지만 나는 자판기 커피가 너무나도 달콤하고 씁쓸해서 말할 수 없었다. 우리에게 허락된 무엇도 깨고 싶지 않았다.

수능일이 가까워지면서 현성과의 지구과학 공부는 끝난 것과 다름없었다. 가을이 깊어지는 게 느껴지는데 겨울이 끝나고 봄이 오던 학기 초와는 확연히 다른 겨울의 얼굴이었다. 가을이 끝나가니 겨울에 대한 막연한 두려움으로 다가왔다. 모든 게 끝나버릴까 봐 겁이 났다. 분명 끝내고 싶은 곳, 종착지를 향하고 있는데, 사라지지 않기를 바라고 있었다. 발아래 은행잎이 밟혔다. 둘러보니 눈앞으로 떨어지고, 저만치에서 굴러왔다. 노란 은행잎으로 가득한 나무 아래에 걸터앉았다. 조그맣게 피어나던 이파리가 부지런히 자라고 물들어 온통 짙은 색으로 젖어있었다. 외진 곳이라 그런지 바닥의 은행잎도 그대로 널브러져 있었다. 익숙하다 못해 뻔해져 버린, 하지만 누구보다 치열했을 시간을 뒤로하고 자리를 털고 일어났다. 담임과의 진학 상담 시간에 맞춰 별관으로 걸었다. 현성을 만나기 전까지 언어 영역은 내게 가장 취약한 과목이었지만, 이제는 모든 과목이 안정권에 들어서 있었다.

-김핸우, 이제 언어까지 싹 다 잡았네.

-현성이가 알려줬어요.

나도 모르게 말이 나왔는데 담임은 내 말을 듣고도 못 들은 체했다. 괜히 서류만 뒤적이다가 원하는 학과를 물었다.

-아직 잘 모르겠어요.

-이 성적이면 제일 좋은 학교에, 원하는 과도 다 갈 수 있다. 잘 함 생각해봐라.

-쌤, 그러면 저 국문학과 갈 수 있어요?

현성의 방에 꽂혀있던 책들. 현성의 형이 읽었을 책들을 나는 많이 읽었다. 그토록 열심히 공부를 해왔지만, 단 한 번도 탐독한 적 없던 내게 그의 책장은 미지의 세계였다. 책이나 공부 같은 건 단지 해야 하니까 할 수밖에 없는 일이었고, 내게 다른 대안은 없었다. 반면 현성은 이미 많은 책을 읽었는지 곧잘 책을 골라주곤

했다. 책 곳곳에 남겨진 메모와 현성의 형이 쓴 노트도 흔쾌히 내어주었다. 현성과 함께 지구과학을 공부할 때처럼, 서로의 자리를 바꿔 우리는 책들을 열중해 읽고 논했다. 그 시간들은 나를 사로잡기 충분했다. 저만큼 깊은 데서 현성은 나를 이끌었다. 현성이라는 동행이 있었기에 선뜻 발을 들일 수 있었을 것이다.

*

수능에서 나는 기존보다 높은 점수를 냈고, 현성도 우수한 성적을 받았다. 물론 그의 성적표에서 1등급이 찍힌 과목은 지구과학 I 이 전부였고, 언어를 제외한 과목은 바닥을 기는 수준에 불과했다. 그 정도 성적으로 갈 수 있는 대학은 없었다. 하지만 현성은 굴하지 않고, 공부에 흥미라도 붙인 듯 곧바로 재수에 도전했다. 현성을 포함해 재수를 준비하기로 한 몇몇 학생들은 교실에 나타나지 않았고, 수능이 끝난 교실은 썰렁하고 어수선했다. 연극이 끝난 무대에 남은 배우처럼, 나는 빈 교실을 서성였다. 해야 할 일이, 갈 곳이 없었다. 떠오른 곳은 현성이 집이 유일했지만, 그럴 순 없었다.

현성에게 무슨 말을 전하면 좋을지 고민해봐도 마땅한 말이 떠오르지 않아 문자를 쓰다 지우기만을 반복했다. 고심 끝에 그간 정리해둔 과목별 노트 중 핵심이 되는 것들만 골라 현성에게 주기로 했다. 입시학원 앞에서 만나 고맙다고 말하는 현성은 상기된 표정이었는데 무척 단단하고도 부드러운 느낌이었다.

그 후로 현성을 보진 못했다. 괜히 뒤숭숭해질까 쉽사리 연락하기도 쉽지 않아 마지막 인사도 못 한 채 떠나게 될 줄 알았다. 그러다 딱 한 번, 대학 입학 전에 반 아이들 여럿이 모인 술자리에서 그를 볼 수 있었다. 해가 바뀌어 스무 살이 된 직후였다.

-야 학원 마치고 온나. 여 바로 앞이다이가.

화장실 앞에서 현성과 통화 중인 재성이었다. 그의 말처럼 현성이 다니는 학원은 우리가 술을 마시는 번화가와 멀지 않았다. 이해할 수 없는 상권의 형성이었지만, 입시 학원 대부분이 술집들로 가득한 골목과 아주 가까운 곳에 있었다. 현성의 집도 이곳과 멀지 않은 곳인데. 내 집처럼 드나들던 곳이 아득히 멀어진 것만 같았다. 불현듯, 현성의 말대로 이뤄지고 있는지도 모를 일이란 생각이 들었다. 언젠가 현성은 말했다.

-내는 지금 이대로도 좋다.

현성이 수화기 너머에서 망설이는 듯했다. 재성은 오늘이 마지막일지도 모른다는 말로 그를 설득했고, 결국 오겠다는 말을 들었는지 흐뭇해하는 재성을 뒤로 하고 바깥으로 나섰다. 달아오른 얼굴을 식힐 겸 술집 앞을 서성이고 있을 때 누군가 나를 불렀다.

-야 현우!

돌아보니 현성이었다. 오랜만에 보는 그의 얼굴은 수척했다. 점차 가까워지는 현성은 내게 처음 말을 걸어오던 그날과 같은 목소리였다. 달라진 건 없다는 듯이 내게로 다가오는 현성을 보니 모든 게 그대로인 것처럼 느껴졌고, 달라진 게 있다면 현우, 하고 내 이름을 부른다는 사실뿐인 것 같았다.

-잘 지냈나. 연락도 안 하고.

-공부하느라 바쁠까 봐.

-그래서 그냥 서울 갈랬나. 섭섭하게.

오랜 안부를 뱉는 그가 낯설게 느껴져 우리가 꽤 먼 사이가 된 것 같았다. 어른으로 첫발을 내딛는 나보다 더 멀리 어른 쪽으로 가버린 것도 같았고, 도리어 저쪽에서 나와 가까운 곳으로 돌아와 소년이 된 것도 같았다.

-담배 하나 피고 같이 들가자.

계단참에서 만난 그때처럼 현성은 담배를 피웠다. 선명해진 것만 같던 그가, 우리 사이가 다시 흐릿하게 보였다. 담배 연기 때문인지, 술을 마신 탓인지 아리송했다. 가자, 현우. 짧게 말하고 안으로 들어가는 그. 내가 잘 쫓아오는지 뒤를 돌아 확인하는 그. 습관처럼 미소 짓는 것뿐인지, 나를 향해 웃는 주는 건지 모를 표정. 아까보다 얼굴이 더 붉어지는 것 같았다. 술집으로 들어선 우리를, 아니 현성을 친구들은 반겼다. 웃고 떠들며 술자리는 밤늦도록 이어졌다.

나는 대학 개강을 앞두고 서울로 거처를 옮겼다. 아무렇지 않게 봄은 다시 돌아왔다. 대학 생활을 시작한 지 얼마 안 됐을 땐 J시에 자주 들렀지만, 차차 그 횟수는 줄었으며 고등학생 때 친구들을 만나는 일도 손에 꼽는 일이 되었다. 현성의 존재도 그렇게 잊혀가는 듯했다. 우리는 각자가 꾸리기 시작한 저마다의 세계에 조금씩 적응하고 있었고, 그에 반비례하게 고등학생 때의 세계란 너무나도 작은 우물에 살던 시절로 여겨지곤 했다.

*

승우에게 연락이 왔다. 전역 후 간간이 전화를 걸어오던 승우는 이번에도 잘 지내냐는 상투적인 말로 끝낼 줄 알았지만, 오랜만에 친구들과 술 한잔 어떠냐며 적극적으로 약속을 잡았다. 마침 곧 추석 연휴였고, 고향에 내려간 김에 3학년 8반 아이들이 여럿 모이기로 했다. 이따금 안부를 주고받던 승우 외엔 몇 년 만에 보는 사이라 다소 어색하게 들어선 자리엔 뜻밖에도 현성이 있었다. 친구들은 3년 전 술자리에서 뒤늦게 합류한 현성을 맞이할 때처럼 나를 살갑게 반겨주었다. 어디론가 자기만의 세계를 뻗어내고 있는 스물세 살의 청춘들. 이제는 서로 다른 생활 반경을 꾸리고 있는 이들이었지만, 술이 몇 잔 들어가자 이내 그 시절의 이야기를 꺼내며 학창 시절로 돌아간 듯 웃고 떠들었다. 멀찍이 앉은 현성은 이따금 눈을 마주치면 슬며시 웃어 보였는데, 그것이 나를 보고 웃는 것인지, 버릇처럼 짓는 표정인지는 여전히 알 수 없었다. 잔을 부딪치며, 여전하네, 조그맣게 내뱉었다. 현성은 재수 후 J시의 한 대학에 입학을 했다. 익숙한 이름의 대학은 우리가 술을 마시고 있는 번화가와 가까이에 있었다. 창밖을 내다보니 현성이 다닌다는 S대의 정문이 보였다. 나는 다시금 현성의 말을 떠올렸다. 어쩌면 정말 현성의 바람대로 이루어진 건지도 모른다.

정신을 차렸을 땐 침대였다. 눈을 뜬 채 지난밤의 끊어진 기억을 더듬어보았다. 현성과 함께 집 앞까지 걸었던 기억이 살아났지만, 무슨 얘기를 주고받은 지는 기억나지 않았다. 애써 그 시간을 붙잡으려 할수록 두통만 더해질 뿐이었다. 지난밤 술자리에서 곱씹다만 현성의 바람에 대해 생각해보았다.

-내는 지금 이대로도 좋다.

무엇이 이대로 좋은 걸까. 하지만 그게 무엇이든간에 우리들의 세계에 그런 건 없었다. 너나 할 것 없이 더 나은 세계, 아직은 불분명하지만 언젠가는 닿을 수 있을 밝은 미래를 꿈꾸었다. 그 어딘가를 위해 저당

잡힌 채 살아가고 있었지, 지금의 나로 충분하다고 생각하는 이들은 없었다. 소파에 기대어 내셔널지오그래픽을 읽고 있는 현성을 보면, 어쩌면 그것이 어른의 세계일지도 모른다는 생각이 들기도 했지만, 내가 아는 어른 중에 그런 어른은 없었다. 부모도, 선생도 모두 더 나은 언젠가를 그리고 있었기 때문이다. 현성처럼 태어난 곳에서 줄곧 살아온 삶은 어떤 것일까. 유년부터 초등학교와 중학교, 고등학교는 물론 재수학원과 대학교 모두 지척에 있는 곳에 머물러 사는 삶. 더 나은 것을, 혹은 아주 먼 곳을 바라지 않는 현성의 삶은 어떤 것일까. 당시의 나로선 도무지 이해할 수 없는 삶이었고, 지금도 마찬가지였다. 익숙한 동네 풍경을 눈에 담으며 살아가고 있을 현성을 그려보았다. 밤마다 파란 이불이 깔린 침대에 누워 야광별 아래에서, 너덜너덜해지도록 보던 내셔널지오그래픽 잡지를 다시 펼치는 그를.

집을 나와 터미널로 가기 위해 탄 26번 시내버스에서 내렸다. 창밖으로 그곳이 보였고 즉흥적이었다. 오랜만에 찾은 J성 공원이었다. 촉석루를 두른 담장도,

강가의 바위도 그대로였다. 전부 잊었다 생각했지만, 현성과 함께 걷던 길을 따라 십 대 시절이 마구 떠올랐다. 열아홉의 현성과 내가 함께 걸어가던 밤이 되살아난 듯했다. 하지만 서울살이가 오래되고 한강에 익숙해진 내게 J시의 남강은 너무 작아 보였다. 몇 년 새 너무 많은 게 바뀐 것 같았다. 강폭이 이렇게 좁았나. 그때는 이 강이 크고 아득해 보였는데. 강물에 일렁이는 불빛을 보며 생각에 잠기던 우리가, 조금 더 걸어가면 나란히 앉아 쉬던 벤치와 졸업 앨범 사진 속 잔디밭이 있었다.

고갤 들어보니 밤하늘에 별 하나가 반짝였다. 금성이 확실했다. 나는, 그리고 현성은 알아볼 수 있다. 번뜩 지난 새벽의 기억이 살아났다. 술에 취해 현성과 걸으며 나는 말했다.

-니 지금도 지구과학 좋아하나?

답을 하는 대신 현성은 되물었다.

-니는 이제 안 좋아하나?

오토바이 한 대가 우리 옆을 지나쳐가고 현성이 이어 말했다.

-우리가 샛별을 다 보네.

현성이 가리키는 손가락 끝에서 조그마한 별이 반짝이고 있었다. 푸르스름한 새벽길을 걸으며 현성과 나는 캄캄하던 열아홉 살의 날들을 추억했다. 현성의 어깨가 내 어깨에 닿았고 우리는 걸음을 맞춰 천천히 골목을 걸었다. 계속 걸으면 가까워질 것처럼, 샛별이 오래도록 우리를 기다리고 있었던 것처럼. 푸른 새벽 끝에서 밝아오는 아침엔 아무렇지 않게 말할 수 있을 것처럼. 샛별, 하고 말하면 샛별을 알 수 있을 것 같은 기분으로 우리는 여러 차례 샛별을 속닥이며 걸었다.

한참을 J성 공원에서 시간을 보낸 뒤, 사위가 어둑해진 뒤에야 터미널로 향했다. 후에도 언제고 밤하늘을 올려다보면 그날 우리가 보았던 별을 다시 발견할 수 있을까. 그러다가 나를 생각하기도 할까. 내가 그러듯이 말이다. 서울행 버스에 몸을 실으며 현성의 번호로 문자를 남겼다.

<내 아직도 지구과학 좋아한다. 엄청. 그리고 꼭 말해주고 싶었는데 한 번도 못 한 것 같아서 문자로 남길게. 현성아 고마웠다.>

고속도로를 달리는 버스 차창 밖으로 흩어지는 풍

경 사이, 능선을 따라 아주 높은 곳에 있는 실루엣이 보이는 것 같았다. 훈기가 차오르며 부지런히 김이 서리는 창을 여러 번 닦았다. 선명해진 창에 얼굴이 비쳤다. 그때 핸드폰에 진동이 울렸고, 현성이 보낸 문자가 와 있었다. 금세 흐려진 창에 옅은 미소가 번졌다.

<밤에는 샛별이 아니고, 개밥바라기다. 조심히 올라가라, 현우.>

우리들의
B02

운기는 이미 수시로 대학에 붙어 수능을 볼 필요가 없었지만, 정시로 대학엘 가는 친구들과 함께 수능에 임했다. 마치 수능에 사활을 건 듯 긴장하고, 안도하고, 좌절했다. 그 사이에서 운기는 규정하기 어려운 안정감을 얻었다. 혼자가 아니라는 안도, 나만 다르지 않다는 기분, 묘한 동질감. 그리고 운기는 수능이 끝나자마자 아르바이트를 시작했다. 결승선을 통과한 선수들이 각자의 자리로 돌아가듯, 하나인 양 달리던 친구들도 흩어져버렸기 때문이다. 운기에게는 소속감이 필요했고 아르바이트를 구하기 위해 S대 앞 술집이 밀집한 거리를 찾았다. 기왕이면 북적이는 거리에서 일하는 게 나을 것 같았다. 운기는 골목 초입에서 시작해 눈에 띄는 술집을 훑었다. 골목을 몇 번 왕래하며 맘에 드는 가게를 찜해두었고, 삼거리의 큰 이자카야로 결정을 했다. 어느 방면에서 걸어와도 잘 보이는 가게였고, 또래로 보이는 이들이 많이 드나드는 곳이었다. 운기는 호기롭게 가게 안으로 들어섰다. 초롱이 밝히는 인테리어는 일본 애니메이션을 연상케 했고, 초저녁인데도 손님으로 가득 찬 내부가 운기를 반겼다.

-몇 명이세요?

-그게 아니라, 혹시 알바 안 구해요?

메뉴판을 들고 안쪽으로 걸으며 무심히 묻던 직원이 걸음을 멈추고 운기를 돌아보았다. 그는 운기를 카운터 옆 빈자리에서 잠시만 기다려달라 말하고는 사라졌다. 잠시 뒤 그는 다른 직원을 앞세워 등장했다. 그녀는 자신을 매니저라 소개했다.

-고등학생 같은데?

-이번에 수능 쳤어요.

그녀는 운기를 뚫어져라 보기만 했다. 그녀의 눈을 응시해야 하는지 아닌지 몰라 운기는 눈동자를 이리저리 굴렸다. 얼마간의 정적과 간단한 질문이 오갔다.

-언제부터 일할 수 있어요?

-오늘 바로 할 수 있습니다!

-그럼 잘 해봐요. 나는 선화, 유선화예요.

자신을 선화라 소개하며 손을 내민 매니저와 악수

했다. 직원이 곧장 앞치마를 건넸고, 작은 천 조각을 허리춤에 차며 운기의 첫 아르바이트가 시작했다. 한 번도 해본 적 없는 일은 생각보다 훨씬 고된 노동이었다. 호출 벨은 끊이질 않고 울렸는데, 수신기에 뜨는 번호가 어느 테이블인지조차 헷갈렸다. 쉴 새 없이 드나들며 차임벨을 울리는 손님을 응대하는 일, 안주와 술과 물과 젓가락을 가져다주는 일은 끝날 기미가 보이지 않았다. 다행히 일이 서툰 운기에게 직원들은 친절했고, 운기는 새로운 경험이 주는 짜릿한 기분이 맘에 들었다. 한 팀이 되어 일한다는 사실이 가장 좋았다. 새벽이 가까워지고, 운기가 화장실의 토사물을 청소하고 있을 때였다.

-첫날부터 빡세죠. 담배 펴요?

-아뇨, 안 피는데요.

-그래도 같이 가요.

매니저는 운기를 데리고 주방으로 들어섰다. 한산해진 틈을 타 주방 직원들이 멍하니 서서 쉬다가 두 사람을 보았다. 운기는 선화를 따라 주방 깊숙이 들어갔고, 작은 문을 열자 바깥으로 이어져 골목 안 주차장이 나왔다. 그녀는 담배를 꺼내 물었고, 그 옆에서 운기는 발목을 번갈아 돌리고 있었다. 오래 서 있었던 탓에 다리가 터질 것 같았다. 삘쭘하게 서서 스트레칭하는 운기에게 선화가 말했다.

-다리 아파요?

-괜찮아요.

-괜찮긴 엄청 아플 텐데. 퇴근하면 집에 가서 마사지 잘 해줘요.

매니저는 깊은숨을 내쉬면서 담배를 연거푸 피웠다. 그 모습을 보고 있자니 흡연의 이유를 얼핏 알 것도 같았다. 그녀가 운기를 힐끗 보곤 말했다.

-이리 와봐요.

선화는 운기의 앞치마를 홱 잡아당겼다. 속수무책으로 끌려간 운기는 당황했지만, 그녀는 피우던 담배를 입에 문 채 운기의 앞치마를 거침없이 풀었다.

-이렇게 매야 안 풀리지.

코앞으로 담배 연기가 자욱했다. 선화가 매듭을 짓고, 어설프게 허리에 걸쳐있던 앞치마가 단정하고 단단하게 자리를 잡았다.

-이름이 운기랬나? 말 편하게 해도 될까?

-네, 매니저님.

-그냥 누나라고 불러.

고된 노동을 함께하다 보면 금세 친해지기 마련이다. 급속도로 가까워지는 사이, 운기는 동료애를 그렇게 배웠다. 선화는 운기에게 유난히 친절했는데, 자신이 담배를 피울 때면 항상 운기를 데려가 잠깐이라도 쉬게 했다.

-넌 담배도 안 피우는데 언제 쉬어. 따라와.

운기는 선화가 담배를 피우는 동안 빈 맥주 케그에 앉아 숨을 돌렸다. 선화는 또 틈틈이 운기를 주방으로 불러 안주를 먹으라고 했다.

-무슨 음식인지 알아야 팔지. 천천히 먹고 나와.

두 사람은 며칠 만에 몇 년을 알고 지낸 사이처럼 스스럼없이 대했는데, 운기와 선화는 죽이 척척 맞아 늘 붙어 다녔다. 영업 마감을 하고 운기가 바닥을 닦으면 선화는 테이블을 닦았다. 바닥을 닦는 운기를 위해 선화는 의자를 테이블에 올려두었고, 테이블을 닦는 선화를 위해 운기는 다시 의자를 바닥으로 내렸다. 하루는 바닥 걸레를 빨아두고 오는 운기를 선화가 불렀다.

-운기야, 여기 누워봐.

-여기요?

선화는 테이블 서넛을 붙여 만든 자리를 가리켰다. 운기가 어쩔 줄 몰라 하며 서 있자 떠밀듯 눕혔고, 마사지를 해주겠다고 했다. 근육 뭉치니까 잘 풀어주랬지. 나 예전에 마사지 배워서 잘해. 그러니까 긴장 풀어. 선화의 손길이 닿는 감촉이 좋았다. 뭉친 다리를, 어깨와 등을 풀어주는 강도가 보드라웠다. 무엇보다 운기는 따스한 온기가 가장 좋았다. 딱딱한 테이블이었지만, 금방이라도 잠들 수 있을 것 같았다.

*

우리 사귀자. 이런 말 없이 운기와 선화의 연애는 시작했다. 운기에게는 처음 있는 일이었다. 이렇게 시작하는 연애가 맞는 건지 의문이었지만, 어른들의 연애란 오늘부터 1일, 하고 선언하지 않는 건지도 모르니까. 어쨌거나 선화는 운기를 불안하게 하지 않았으며 사랑스러운 눈빛으로 바라봐주었기에 주어진 상황을 받아들이기로 했다. 운기에겐 선화와 함께하는 매

일이 처음 겪는 감정으로 충만했다. 하루가 끝나는 게 아쉬웠고, 설레는 마음으로 아침을 맞았다.

선화를 만나면서 운기는 자신에게 당연한 것이 타인에겐 주어지지 않을 수 있음을 알게 되었다. 화목한 가정이나 굴곡 없이 이어져 온 학창 시절은 물론이고, 남다른 기질이나 별난 시선 같은 것도 마찬가지였다. 선화는 거리낌 없이 자신의 가정사를 말했다.

-난 아빠랑 동생만 있어. 어릴 때 이혼하셨거든. 지금은 독립해서 나 혼자 살고.

선화는 아무런 타격 없이 말했는데, 운기는 선화의 방식이 다소 낯설었다. 당황한 표정을 한 운기의 마음을 읽은 듯 선화는 하늘하늘한 미소를 지으며 말했다.

-그게 부끄러운 일은 아니잖아?

선화는 마치 별거 아니라는 듯 재지 않고 솔직하게 말했다. 반면 운기는 옹졸한 생각이 드는 자신이 비루하다 여기곤 했다. 그럴 적이면 선화는 꼭 운기의 마음을 다 알고 있는 듯이 운기를 안아주었다. 선화의 가슴팍에 얼굴을 묻고서 선화가 머리를 쓸어주는 시간을 운기는 좋아했다. 그러고 있으면 하찮은 생각이 금세 사라져 온순한 공기가 주변을 감싸는 느낌이었다. 괜한 응석을 부리고 싶어 선화를 올려다보곤 했다.

이뿐만이 아니었다. 운기에겐 자기 눈에는 너무 잘 보이는 것이 타인에겐 일말의 존재감이 없던 경험이 있었다. 고3 정독실 앞에서 만난 현우와 현성 같은. 뭐라 말할 수 없었지만, 두 사람이 그리는 장면은 감히 깨뜨릴 수 없는 귀한 것임을 운기를 직감했다. 하지만 현우와 현성은 아이들의 입방아에 오르내리며 구설의 소재로 쓰일 뿐이었다. 운기가 생각하기에 아무런 문제가 없는 일이, 오히려 소중히 보듬어주어야 할 것 같은 찰나가 어째서 그런 취급을 받는 건지, 왜 아무도 자신과 같은 생각을 하지 않는 것인지 이해할 수 없었고, 운기는 스스로가 이상하다고 받아들일 수밖에 없었다. 하지만 선화는 달랐다. 선화는 운기에게 말했다.

-아닐지도 몰라. 차마 말할 수 없어서였을 수도 있어.

그리고 말을 이었다. 그런 장면은 모든 사람의 시선을 사로잡는 게 아니며, 설령 발견한 사람이더라도 대개는 눈여겨보지 않음을. 생의 찬란한 순간은 생각보다 많지만, 일상에서 포착해 눈치채는 시선은 매우 특별한 재능임을. 운기는 한 번도 가늠해본 적 없었던 것들에 대해 오래오래 생각해 볼 수밖에 없었다. 별것 아니다, 유별나다 여긴 것이 어쩌면 자신에게 주어진 특별한 능력인지도 몰랐다. 선화의 말을 듣고 있으면 정말 그런 것만 같았다.

선화는 운기에게 없는 시선에 대해서도 말해주었다. 선화는 손님이 요청하지 않아도 냅킨이나 물병을 채워준다던가 미세하게 흔들리는 의자를 곧잘 찾아냈다. 운기에게는 그런 선화가 정말 멋져 보였다. 더불어 선화는 길가의 흔한 장면에도 눈이 밝았는데 무심히 지나치기 일쑤인 너무나도 평범한 것들을 눈여겨보았다.

-겨울인데도 꽃을 피웠어.

걸음을 멈춘 선화는 건물 사이에서 피어난 작은 꽃을 보고 있었다. 또, 선화는 거리의 가게 간판을 눈으로 살피며 걷는 버릇이 있었는데 그걸 간간이 소리 내 읽었다. 사투리로 쓰인 글자나 동음이의어를 반복해 읽으며 그게 재밌다고 말하는 선화. 운기는 그런 선화와의 데이트가 늘 짜릿했다.

*

운기가 아르바이트를 가는 길이었다. 겨울임에도 날씨가 포근했고 운기는 몇 정거장 일찍 버스에서 내렸다. 노을이 지는 저녁, 차도를 따라 걷는 동안 눈앞으로 안온한 빛이 내리쬐고, 상쾌한 내음이 흘렀다. S대 근처에 다다랐을 때, 운기는 현우를 발견했다. 반가운 마음에 큰 소리로 현우를 불러보려 했지만, 운기는 걸음을 멈추고 현우를 관찰했을 따름이었다. 한 입시 학원 앞에서 현우는 보도블록 끝 대리석 볼라드를 따라 발을 맞춰 걷고 있었다. 저쪽 끝까지 갔다가 다시 돌아오기를 반복하는 현우의 옆으로 차들이 지날 때마다 현우의 목도리가 날아갈 듯 나부꼈다. 분명 포근한 날씨였는데, 현우가 서 있는 곳은 한겨울 같아 보였다. 품에 고이 안고 있는 책은 무엇에 쓰는 걸까. 덩치에 비해 너무 많은 짐을 지고 있는 현우가 안쓰러웠다. 그때 현우 앞으로 현성이 나타났다. 전조등을 켠 자동차 불빛 사이로, 마주 보고 선 두 사람의 옆얼굴이 보였다. 정독실 앞에서 마주한 날과 비슷해 보였다.

운기는 그날을 떠올렸다. 정독실 앞 복도에 선 현성과 현우. 두 사람은 무언가에 골몰하고 있었는데 얼마나 집중했는지 누가 지나가는 것도 눈치채지 못할 정도였다. 운기가 그들에게서 눈을 뗄 수 없었던 건 현우와 현성의 시선이 닿은 곳이 서로 달랐기 때문이다. 신발장 위에 놓인 책에 시선을 고정한 현성과 그런 현성을 물끄러미 바라보는 현우. 드르륵, 하고 정독실 문이 닫히는 소리가 유난히 크게 들렸다. 하지만 그런 소음 따위는 중요하지 않다는 듯 온통 집중한 채로 두 사람은 멈춰있었다. 운기의 눈에 그들은 정지한 이미지로 보였다. 그 오롯한 시선은 명확했고, 마음을 쏟는다는 게 무엇인지를 운기는 알 수 있었다.

퇴근 후 선화와 운기는 단골 가게에서 허기진 배를 채우며 술을 마셨다. 생각이 많아 보이는 운기에게 선화가 먼저 물었다.

-무슨 일 있었어?

전구색 조명을 받은 선화의 얼굴이 온화해 보였다. 선화에게는 말할 수 있을 것 같았다. 피곤한 탓인지 그녀에게 모두 털어놓고 이대로 잠들고 싶었다. 운기는 조심스레 말문을 열었다. 하지만 턱 끝까지 차오른 말들이 차마 입 밖으로 나오진 않았다. 운기는 고교 시절이 마치 오래된 일인 것처럼 느껴졌다. 고작 몇 달 전까지만 해도 입시에 아등바등했는데, 그 모든 시간이 아득한 시절의 일인 양 두서없는 말만 더듬더듬 내뱉었다.

-누나 저도 담배 펴봐도 돼요?

선화와 운기는 바깥으로 나섰다. 운기는 선화에게 받은 담배 한 개비를 입에 물었다. 선화도 담배를 입에 물고 라이터를 꺼내 불을 붙인 뒤 말했다.

-계속 들이마셔.

빨대를 문 듯 입술을 오므리고 기다리는 운기에게 선화가 불이 붙은 담배를 문 채 다가왔다. 운기의 담배 끝에 선화의 불붙은 담배가 닿았다. 선화는 눈짓으로 운기에게 신호를 주었고, 운기는 담배를 힘껏 빨아들였다. 운기의 담배에 선화의 불씨가 옮겨붙었다. 선화는 운기의 두 눈을 또렷하게 응시했다. 운기는 그런 선화의 눈망울에서 피어나는 불꽃을 바라보았다. 이번엔 선화의 시선을 피하지 않았다. 그것도 잠시, 운기는 이내 연신 기침을 해댔다.

-이걸 왜 펴요? 아니 어떻게 펴요?

선화는 그런 운기가 귀엽다는 듯이 바라보며 말했다.

-오늘 우리 집에서 자고 갈래?

번화가를 벗어나자 한적한 골목이 굽이굽이 이어졌다. 오래되어 보이는 붉은색 벽돌 건물이 선화의 집이었다. 출입문을 열고, 한 층이라기엔 적은 수의 계단을 내려갔다. 여기야. 선화가 가리키는 자취방 현관문에는 B02라는 글자가 쓰여 있었다. 운기의 눈에 그건 굉장히 멋진 무언가로 보였다. 마치 저 너머엔 동화 속 환상의 나라가 펼쳐질 것 같았다. 운기는 긴장한 채로 선화를 따라 방 안으로 들어섰다. 누군가의 자취방. 운기가 한 번도 경험해본 적 없는 공간이었다. 학교나 독서실이 아니었고, 부모님과 함께 사는 친구의 집도 아니었다. 지금까지 자신이 속해있던 세계를 깨고 더 넓은 어딘가로 훌쩍 떠나는 기분을 운기는 오래도록 잊지 못했다. 훗날 운기는 B가 지하를 뜻하는 Basement의 약자인 것을 알았을 때, 적잖이 놀랄 수밖에 없었다. 지하층 2번 방. 분명 그곳의 모든 것이 신비하고 멋

있게만 보였는데, 돌이켜보면 낡고 허름한 반지하 방에 불과했기 때문이다. 곰팡이가 끊임없이 퍼지는 누런 벽지, 볼품없는 세간, 쿰쿰한 냄새가 떠올랐다. 하지만 운기에게 B02, 작은 방은 더없이 완벽한 곳이었다. 아늑한 방에는 없는 게 없었으며, 무엇보다 선화와 이불을 나눠 덮고 누워있으면 너무나도 포근했다. 운기는 뜨끈하게 데워진 바닥에서 언 몸이 녹아드는 동안 선화의 목소리를 들으며 잠이 들었다. 꿈도 꾸지 않고 깨지도 않고 깊은 잠이 들었다.

다음 날 아침 선화는 정오가 되기도 전에 나설 채비를 했다. 그 소리에 깬 운기가 물었지만, 볼 일이 있으니 더 자다가 가게에서 보자고 말했다. 선화가 집을 비우고 운기는 빈방에 누워 천장을 하릴없이 바라보았다. 누수 자국이 오로라처럼 신비롭게 보였다. 운기는 천장에서 몰딩으로, 벽지로, 행거와 싱크대로 시선을 옮겼다. 낡은 반지하 방이 분명하지만, 모든 게 새롭고 아름다웠다. 컴컴한 문간 옆의 작은 창이 눈에 띄었다. 커튼도 필요 없을 만큼 작은 창문인데도 바닥까지 오는 긴 천이 매달려 있었다. 커튼을 보자 현우가 떠올랐다. 운기가 처음 현우를 본 건 고2 때였다. 운동장에서, 정확하게는 운동장에 서서 교실을 올려다보았을 때였다. 운동장을 거닐다 무심코 본관을 올려다보는데 창가에 서 있는 학생이 눈에 들었다. 자세히 보이지 않았지만, 처음 보는 얼굴이었다. 위치를 보니 이과였고, 운기의 옆 반이었다. 문과의 끝 5반인 운기와 이과의 시작 6반인 현우의 교실은 맞붙어있었다. 현우는 자주 창가에 서 있었고, 운기는 그에게 말을 걸고 싶었다. 그래서 운기는 틈만 나면 창가를 살폈다. 오늘도 현우가 있을지 궁금했기 때문이다. 왜 늘 저기 있는 걸까. 특별한 게 보이는 걸까. 운기는 현우를 생각하며 5반 교실 창가에 서서 커튼을 치고 창 너머 먼 곳을 내다보았다. 미풍이 불 때마다 흔들리는 커튼 속에서 창을 통해 드는 햇살과 바람을 맞았다. 점처럼 보이는 운동장의 아이들, 커튼 너머에서 들려오는 교실의 옅은 소음이 가까운 듯 멀게 느껴졌다. 드넓게 펼쳐진 풍경과 하늘을 날아가는 새를 멍하니 보았다. 기분이 이상했다. 몽글몽글한 촉감이 손끝에 전해지는 듯했고 수백 명의 학생들 틈에서 혼자 남겨진 것 같았다. 아니, 이건 혼자가 되려는 의지로 비롯된 상태였다. 운기는 상상했다. 옆 반에서 같은 자리에 서 있을 현우를. 현우도 자신과 같은 마음으로 이곳에 서 있는 것인지 궁금했다.

여름 방학을 앞두고 논술 특강이 열리는 날, 2층에서 3층으로 이어지는 층계참에 있는 특별실에서였다. 자리에 앉아 불현듯 고개를 들었을 때 운기는 자신과 가까운 쪽으로 다가오는 아이가 현우임을 알 수 있었다. 문과생이 대부분인 특강에 참석한 몇 안 되는 이과생이니 그럴 만도 했지만, 같은 교복 차림의 학생들 사이로 단번에 알아볼 만큼 현우는 운기에게 익숙해진 뒤였다. 현우는 운기가 앉은 자리와 가까운 곳에 앉았다. 이번 기회에 현우에게 말을 걸어볼 요량으로 다가갔다. 현우는 전교 1등답게 거기서도 책을 보고 있었다. 안녕? 운기가 현우에게 인사를 했다. 뭐 공부해? 현우는 대답을 대신해 보고 있던 교과서의 표지를 보여주었다. 지구과학. 운기는 그것에 대해 잘 몰랐지만, 마치 궁금한 듯 현우에게 물었고 현우는 성심성의껏 답했다.

두어 시간이 지난 뒤 선화는 집으로 돌아왔다. 선

화의 손에는 검은 봉지가 들려있었는데, 그녀가 사 온 건 다름 아닌 삼선 슬리퍼였다. 사이즈를 몰라 눈대중으로 골랐다는 슬리퍼. 고등학생 때 신던 것과 같은 3,000원짜리 슬리퍼를 현관에 두면서 편하게 신으라고 선화는 말했다. 운기는 그 조악한 선물에 마음이 빼앗겼다. 사이즈가 딱 맞는 슬리퍼를 신으며 문구점에 들러 슬리퍼를 고르는 선화를 상상하니 피식, 웃음이 새어 나왔다.

-왜 웃어?

-그냥요.

자연스럽게 운기는 이틀에 한 번꼴로 선화의 자취방에서 잤다. 잤다기 보다는 잠이 들었다. 언제 잠들었는지도 모르게 어느 순간 잠이 들어있었다.

*

차임벨 소리와 함께 가게 문을 열고 현성이 들어왔다. 일행이 있는지 문을 잡고 기다리는 현성의 뒤로 나타난 사람은 현우였다. 주방 일손이 부족해 내내 주방에 있던 운기는 8반 아이들이 손님으로 와있다는 사실을 뒤늦게 알았다. 친구들 틈으로 섞여 드는 두 사람을 보며 운기는 다시 그날을 떠올릴 수밖에 없었다. 현우와 현성이 함께 있는 장면을 처음 본 순간, 운기는 그들이 심상한 관계가 아님을 알았다. 하나 왜 이제서야 알아챈 걸까. 분명 운기는 그들을 통해 사랑의 형태를 알게 되었는데. 그들이 앉은 테이블에 자꾸만 시선이 갔고, 명명할 수 없던 감정이 무엇인지를 뒤늦게야 파악했다. 현우에게 먹은 마음이 무엇인지, 현우가 먹고 있는 마음은 무엇인지. 그간의 일들이 스쳐 지났다. 창가에 선 현우를 바라보던 자신과 미처 알지 못한 마음에 속앓이한 시간. 그리고 선화에게 털어놓은 엉망진창의 말들. 주위를 둘러봤지만, 선화는 없었다. 한참 뒤 가게 앞에서 현성과 재성 사이에 있는 선화를 발견했다. 셋은 가게 모퉁이에 서서 담배를 피우고 있었는데, 운기는 저 뜬금없는 관계가 의아했다. 그날 밤 퇴근 후 운기와 선화는 단골 술집을 찾았다. 선화는 재성이 자기 동생이라 말했다.

-너 재성이랑 친구였어?

-재성이랑 현성이랑 중고등학교 다 같이 다녔어요.

-세상 진짜 좁다.

선화는 운기의 표정만 봐도 모두 눈치챈 것처럼 분위기를 살피다 말을 걸었다.

-아까부터 안색이 안 좋네?

무슨 말을 하는 게 좋을지 알 수 없었다. 입을 열려고 하면 눈물이 날 것 같았다. 무지한 자신 때문에, 어쩌면 이기적인 자신의 행동으로 인해 선화의 마음마저 비화한 스스로가 너무나도 한심했다. 하지만 선화는 아무것도 묻거나 탓하지 않고 운기의 빈 잔을 채워주었다. 잔뜩 취해 울음을 터뜨리는 운기에게 휴지를 건네며 이렇게 말했다.

-집에 가자.

선화는 운기를 안아주었다. 있는 힘껏 아주 꼭 안아주었다. 눈물이 범벅된 채로 얕은 잠이 들었다 깬 운기 옆에서 선화는 그를 가만히 토닥여주고 있었다.

-운기야, 좋아하는 사람이 생기면 꼭 표현해. 아주 아주 많이. 멀리서 바라만 보지 말고, 서툴러도 괜찮으니까 그 사람에게 네 마음을 솔직하게 말해줘. 그러지 않으면 네 마음은 전달되지 않아. 무슨 말인지 알지? 내 말이 너무 뻔하다 생각할지도 모르지만, 가끔은 단순하게 생각하고 행동하는 게 맞더라고.

운기는 잠결에 선화의 목소리를 들으며 다시 잠이 들었다. 눈을 떴을 땐 고요한 새벽이었고 작은 방이 연한 푸른빛으로 가득 차 있었다. 운기는 옆에서 잠들어 있는 선화를 보았다. 이번에는 그런 선화를 토닥여주었고, 선화의 숨소리에 맞춰 운기도 눈을 감았다. 선화와 운기는 해가 중천인데도 침침한 방 안에 누워 휴일을 맞이했다. 머리맡의 조명 하나를 켜고 선화는 운기에게 소곤소곤 말했다.

-현성이랑 어릴 때부터 친구니까 현성이 형 알지? 너희 중학생 때 죽었으니까 소식은 들었을 거야. 현성이 형 이름이 준성이야, 도준성. 내 남자친구였어.

선화는 전 연인이었던 준성의 자살에 대해 운기에게 들려주었다. 담담하기도 사무치기도 한 시간이었다. 한참 동안 두 사람은 각자 겪어온 삶을 꺼내놓았다. 징검다리를 건너듯 한 발 한 발 조심스러웠고, 온 마음을 쏟아 소진한 듯 길고 나른한 낮잠이 들었다.

*

선화의 몸에는 타투가 많았다. 운기는 처음 보는 그

것이 늘 신기하고 궁금했다. 잠옷이 말려 올라가거나 설거지를 하려고 소매를 걷을 때면 의미를 알 수 없는 그림과 언어가 희끗하게 보였다. 물어봐도 선화는 명징하게 말해주지 않았는데, 이번엔 달랐다.

-궁금해?

-말해 줄 거예요?

-사실 별 의미는 없어. 그냥 좋아하는 걸 새긴 거야. 내겐 귀중했던 것들, 한때 큰 의미였던 것도 있지. 근데 전부 그런 건 아냐. 그냥 예뻐서, 순간을 기억하고 싶어서 한 것도 있거든.

선화는 크고 작은 타투를 애틋하게 매만지면서 말을 줄였다. 겨울은 영원할 것처럼 수도관을 얼리고, 창틈새로 바람을 밀어 넣으며 기승을 부렸다. 운기가 웃풍에 익숙해질 무렵이었다.

-우리가 올겨울을 함께하는 것도 그런 거라 생각해. 우리 감히 영원한 사랑을 운운하지 말자. 나는 네가 좋고, 너도 내가 싫지 않잖아. 우리는 서로 좋아하니까 그거면 충분하잖아. 그러다 끝이 나는 관계도 있는 거야.

그녀가 하는 말을 이해할 수 있을 것도 같아서 고개

를 끄덕였지만, 사실 운기는 그녀의 말에 전혀 공감할 수 없었다. 당최 무슨 말을 하는 건가. 헤어지고 싶다는 말을 저렇게 에둘러서 말하는데 눈치 없이 알아듣지 못하는 건가. 하지만 선화의 눈은 진실을 말하고 있었다. 겨울은 길지만, 겨울 방학은 언제나 모자라듯이 선화는 운기와의 이별을 준비하고 있었다. 어느덧 운기의 대학 개강이 얼마 남지 않은 때였다. 운기는 발끝이 시려 이불 속으로 몸을 웅크렸고, 선화는 소파에 앉았다. 침대도 없는 작은 방에 이상하게 놓인 소파가 운기의 시선을 사로잡았다. 작고 허름한 공간에 자리한 낡은 소파. 추위를 버티는 겨울을 지나 봄이 오고 여름이 오면 더위와 싸워야 할 공간. 소설에서나 본 그런 반지하 방. 왜 마음이 동하는지 모를 곳이었다.

-운기야 너 대학 어디로 간댔지?

-부산이요.

-공부 잘했나 보네.

두 사람은 처음부터 알고 있었던 건지도 모른다. 이 관계의 유한함을. 영속 불가능함을. 학기가 시작하기 전에 운기는 부산으로 떠날 테지만, 선화는 운기가 사라진 공간에서 이전과 비슷한 생활을 반복할 것이다. 그렇게 두 사람은 각자 주어진 삶을 살아낼 것이다. 도로에 면한 창밖에서 한 무리의 사람들이 지나가는 발소리가 방안을 채웠다. 운기는 자신이 없는 이 방을, 선화를 상상해보았다. 선화는 영업을 마치고 바닥과 테이블을 닦은 뒤 간판 불을 끄고 퇴근할 것이다. 이따금 되뇌어 볼지도 모른다. 운기야, 테이블 쪼로미 붙여봐봐. 나를 대신한 다른 사람이 선화 곁에 생기겠지, 운기는 생각했다. 간이로 만든 테이블에 누워 고단한 몸을 그녀에게 맡기고서 낯선 근육을 감각하고, 노동의 고단함을 몸소 느낄 것이다. 그런 하루는 조금 버겁다. 그녀가 들려주는 얘기를 듣다가 눈이 스르륵 감기면, 선화는 부러 힘껏 근육을 누를 것이다. 비명을 지르며 깨고 선화는 참으라는 말만 할 테고. 두 사람은 아마도 미소 짓고. 단골 가게를 만들어 요기도 하고 술도 한잔하겠지. 운기는 주문한 뒤 밖으로 나가 담배를 피우는 그녀 모습을 창 너머로 훔쳐보던 때를 생각했다. 담배를 피우는 선화의 발갛게 언 손을 잡아주고 싶다. 선화의 집으로 가 서로의 몸을 탐하던 날들, 차가운 손으로 서로의 따뜻한 몸을 만져주고 깊은 잠이 들던 새벽을 잊을 수 없을 것 같았다. 깜깜한데도 골목을 지나는 사람들의 발소리가 아침잠을 깨울 것이다. 볕도 들지 않고 바람도 불지 않지만, 차오르는 훈기보다 외풍이 심한 선화의 방. 조금만 추워도 수도가 얼어 씻을 수도, 화장실을 쓸 수도 없는 집. 하지만 선화가 들려주는 이야기로 충분하다. 까무룩 잠이 들면 꿈에서 그 장면을 만날 수 있으니까. 영원히 깨고 싶지 않은 꿈을. 그러다 오후쯤 일어나 밖을 나서면 아무도 없고, 쓰레기만 가득 쌓여있는 좁은 포도가 선화를 맞아주겠지.

운기는 부산으로 떠나기 전, 마지막 알바 날 그녀에게 장갑을 하나 선물했다.

-이제 겨울 다 끝났어.

운기의 손에서 방황하는 선물을 받아들며 선화는 다정하게 말했다.

-내년 겨울에 쓰면 되지. 고마워.

그날 밤도 운기는 선화의 집에 들렀다. 옷걸이에 걸어둔 빨래들, 목이 늘어난 티셔츠와 본래의 색을 잃은 티셔츠, 올이 나간 수건. 가지런히 접힌 이불과 두 개의 베개. 일상적인 것들이 벌써 익숙해져 버렸음에, 이제 더는 볼 수 없음에 운기의 마음은 뒤숭숭해졌다. 그런 마음을 아는지 선화는 대뜸 말했다.

-운기야, 나도 사랑 같은 거 뭔지 잘 몰라. 그게 뭐 별건가. 좋아하는 사람을 좋아하면 되는 거잖아. 너 되게 좋은 사람이야. 허튼 데 낭비하지 말고 네가 진짜 좋아하는 사람이 생기거든 온전히 쏟아버려. 텅 빌 때까지 다 줬다 생각해도 아직 네겐 남은 게 훨씬 많을 거야. 주면 줄수록 받는 게 사랑이니까. 이것도 다 준성이가 해줬던 말이야.

-고마워요, 누나.

운기는 마지막으로 선화를 안아주었다. 몸으로 전해지는 온기가 아니더라도 이 사람은 참 따뜻한 사람이구나, 운기는 생각했다. 선화는 내년에 옥탑으로 이사를 할 거라 말했다. 꿈을 위해 차곡차곡 돈을 모으는 중이라고.

-반지하나 옥탑이나 추운 건 매한가지겠지.

선화는 그런 말을 하면서도 경쾌하게 웃었다. 그래도 습하진 않으니까 좋겠죠. 조각 빛에 빨래를 말리지 않아도 되고, 곰팡이도 없을 거예요. 옥상에서 맥주도 마실 수 있고요. 운기는 그런 말을 속으로 생각하며 선화의 꿈을 진심으로 응원했다.

샛별빌라

서른이 넘어 그들이 만난 건 추석 연휴 마지막 날이었다. 9월 초에 현성은 카센터에 들렀다. 며칠 전 가벼운 접촉 사고가 있었는데 범퍼를 통으로 갈아야 할 만큼 차체가 많이 찌그러진 터였다. 현성은 아침 일찍 일어났고, 샛별빌라를 나서서 카센터로 향했다. 핸드폰에 시선을 고정한 채였지만, 현성에게 이 길은 너무나도 익숙했다. 일생의 대부분을 살아온 동네. 감각을 동원하지 않아도 충분한 익숙함을 현성은 체화한 지 오래였다. 사거리에서 횡단보도를 건너고 다시 건너편으로 가기 위해 신호를 기다리고 있을 때였다.

-도현성? 맞제 현성이?

현성의 옆으로 다가온 건 운기였다. 못 본 지 십 년이 넘었는데도 단번에 알아볼 수 있을 만큼 운기는 변한 게 없어 보였다. 운기는 마스크를 내리며 특유의 살가움으로 현성의 안부를 물었다. 신호가 바뀌고 길을 건넌 뒤에도 운기는 현성을 따라 걸으며 말을 이어갔다.

-근데 니 어디 가는 길인데?

-내 여기 카센터.

-진짜? 여기 우리 가게다!

현성은 운기를 따라 사무실로 들어섰다. 사무용품이 박스째로 쌓여있었고, 축하 화환이 가득했다.

-문 연 지는 얼마 안 됐다. 한 십 년 부산에 있다가 이번 여름에 J시로 돌아왔지.

운기는 믹스 커피를 뜯어 종이컵에 한 포씩 붓고 정수기 앞에 서서 뜨거운 물을 받았다.

-온 김에 세차 싹 해줄게. 좀 앉아있다 가라. 바쁘나?

현성은 커피를 홀짝이며 운기의 사무실을 둘러보았다. 집기가 새것이 아닌 걸로 보아 중고로 구매한 듯했다. 운기는 부산에서의 생활에 대해 떠들었다. 사업의 번영과 쇠락을, 청춘을 그리워하는 마음과 삼십 대의 가능성을. 이따금 현성의 안부를 묻기도 했지만, 대화는 운기의 지난 삶으로 돌아가기 일쑤였다. 운기는 물색없는 말을 늘어놓으며 소파에 앉아 물었다.

-니 연락하는 애들 있나?

-누구?

-우리 고등학생 때 애들.

현성은 고교 시절 친구들을 떠올려 보았지만, 운기와의 접점이 있는 얼굴은 생각나지 않았다. 현성은 이과였고, 운기는 문과였기 때문이다. 고1 때까지 거슬러 올라가 봤지만, 운기는 그때도 현성과 다른 반이었다. 운기가 몇몇의 이름을 댔고 현성은 고개만 저었다. 전혀 모르거나 친하지 않은 애들뿐이었다. 그러다 운기의 입에서 의외의 이름이 튀어나왔다.

-맞다 김현우! 니 핸우랑 친했잖아?

-현우?

-어, 전교 1등. 니랑 같이 공부도 하고 그랬다이가. 연락 안 하나?

현성은 오랜만에 현우에 대해 생각해보았다. 열아홉 살, 고3. 그 시기를 설명할 수 있는 전부이자 유일한 이름, 현우. 야자 시간을 빌려 지구과학을 알려주던 과거가 어제의 일처럼 선명하게 그려졌다. 하지만 현우와 연락이 끊어진 지는 오래였다. 서울에 터전을 잡은 현우와 달리 J시에 머문 현성은 멀어진 거리만큼 둘 사이도 자연스레 멀어졌다고 생각했다.

-내한테 번호 있다. 있어봐봐.

운기는 망설임 없이 현우에게 전화를 걸었다. 연결음이 꽤 오래 울렸지만, 현우는 받지 않았다. 실망한 기색으로 운기가 핸드폰을 내려놓는데, 수화기 너머로 희미한 목소리가 들려왔다.

-여보세요?

-핸우! 내 운기다. 박운기!

현우는 금세 운기를 기억해냈다. 운기는 자신의 번호가 저장되어 있지 않았다는 사실에 서운한 티를 내다가 제 근황을 마구 쏟아냈다. 조금 전까지 현성에게 그랬던 것처럼 현우의 안부를 묻고, 자기 얘기를 떠들었다.

-야야, 내 지금 현성이랑 같이 있거든. 바꿔줄까?

운기는 대답을 기다릴 새도 없이 전화기를 현성에게 떠밀었다. 현성은 마른침을 삼키고 핸드폰을 받아 들었다. 수화기 너머로 건너온 현우의 목소리는 그때 그대로였다. 지구과학을 알려주던 열아홉 살의 현우를 다시 만난 것 같았다. 오랜만에 느껴보는 긴장감에 현성은 자세를 고쳐 앉았다. 하지만 무슨 말을 하면 좋을지 가늠하기 어려웠다. 서울 사람 다 됐네, 하는 식의 어색한 대화를 몇 마디 나누다 참을성 없는 운기가 핸드폰을 도로 가져갔다. 운기는 다짜고짜 현우에게 추석 연휴에 J시에 오는지를 물었다. 현우는 일정을 확인해봐야 한다고 했고, 운기는 카톡을 달라 답했다. 이번에 내려오면 셋이 술 한잔을 하자는 말로 마무리를 지었다.

-핸우 작가 된 건 아나?

-작가?

-어. 회사 관두고 글 쓴다 요새.

-연락 안 하고 지낸다매.

-인스타 보면 다 알지.

운기가 보여준 현우의 인스타그램 속 모습은 현성이 알고 있던 것과 사뭇 달랐다. 함께 탐독하던 잡지에 나올 법해 보이기도, 정말 문학책을 쓴 작가처럼 보이기도 했다. 서른셋의 현우는 꽤 많이 바뀌었구나, 현성은 생각했다.

집에 돌아온 현성은 인스타그램에 접속해 현우의 계정에 들어가 게시물을 하나씩 확인했다. 정방형 사진 속 현우의 모습이 낯설어 당혹스러웠다. 현성은 인스타그램을 끄고 앱 스토어에 싸이월드를 검색했다. 최근 싸이월드가 되살아났다는 기사를 접한 터였다. 어렵사리 로그인한 싸이월드 사진첩에는 현성이 기억하는 현우가 있었다. 과거로 가다 보니 졸업 앨범 사진 촬영일 J성에서 친구들과 찍은 사진까지 닿았다. 여러 게시물 사이 재성과 함께 찍은 사진에 시선이 멈췄는데, 두 사람 뒤로 흐릿하게 현우가 찍혀있었다. 현성은 졸업 앨범을 펼쳐 현우도 함께 찍은 그룹 사진을 찾았다. 해맑게 웃고 있는 현우. 현성은 다시 인스타그램에 접속해 현우의 계정을 팔로우했고, 저녁쯤 현우도 현성의 계정을 맞팔로우했다.

며칠이 지나도 카톡이 없자 운기는 현우에게 다시 전화를 걸었다. 현우는 다가오는 추석에 J시에 내려간다는 소식을 전했고, 운기는 추석 연휴 마지막 날 저녁에 만나자는 약속을 잡았다.

*

연휴 마지막 날 현우는 대양서적에 들렀다. J시로 내려오는 시외버스에 책을 두고 내린 탓에 잃어버린 시집과 같은 걸로 한 권을 더 샀고, 서점에서 나온 뒤엔 시내의 거리를 배회했다. 학창 시절과는 많이 바뀌었어도 군데군데 건재한 가게가 있었다. 하지만 서점은 한가했고, 단골 분식집은 사라진 시내가 어색했다. 현우는 곧장 버스 정류장에 섰다. 26번이던 버스가 120번으로 바뀔 만큼 세월이 흘렀음을 받아들여야 했다. 현우는 120번 시내버스를 타고 평거동으로 향했다. 아파트 단지와 빵집, 국숫집과 문방구. 다행히 십 대 시절의 추억이 묻어있는 곳곳을 발견하고 미소 지었다. 어릴 땐 당장이라도 떠나고 싶은 곳이었는데 왜 그립고 아련한지 이해할 수 없는 노릇이었다. 현우는 한참을 걷다가 한 카페에 앉아 시집을 읽으며 한나절을 보냈다. 오후 늦게야 자리에서 일어났고, 남강 산책로를 따라 평거동에서 신안동까지 계속 걸었다. 걷다 보니 천수교 너머 음악분수가, 성벽이 이어진 끝엔 아스라한 촉석루가 희미하게 보였다. 현우는 강변에 서서 현성과의 추억에 빠져들었다. 그 시각 현성은 촉석루에 있었다. 집과 멀지 않은 곳인데 도통 올 일이 없었다.

현성은 오랜만에 옛일을 떠올리며 J성을 걷다가 촉석루에서 남강을 내려다보았다. 며칠 전까지만 해도 여름 같더니 훌쩍 가을이 온 것 같았다. 현우는 약속 시간에 늦을세라 다시 평거동 쪽으로 발걸음을 돌렸다. 강을 옆에 두고 걸으니 한결 기분이 좋아졌다. 평거동에 진입했을 때쯤 운기는 현우가 있는 곳으로 왔다.

-핸우? 김핸우! 핸우 맞나?

이름을 세 번이나 부르며 다가오는 운기에게 십 년 만인데 어떻게 알아봤냐 묻자, 운기는 어떻게 못 알아보냐며 웃었다. 둘은 산책로가 끝나는 지점까지 강물을 따라 걷기로 했다. 일렁이는 강물 위로 지는 해의 실루엣이 떠 있었다. 언제가 처음이었더라. 나란히 걸어가는 운기의 모습에서 고등학생 시절이 떠올랐다. 처음 운기가 말을 걸어왔을 때가 어렴풋이 그려졌다. 같은 반이 된 적도 없는데 복도에서 마주칠 때마다 살갑게 인사하던 운기. 위태롭고 반짝이던 시절의 일들이 눈앞에서 빠르게 뜨고 지는 것 같아 현우는 울컥했다.

현우와 운기는 남강을 뒤로하고 상가가 밀집한 쪽으로 방향을 틀었다. 얼마간 걷다 사거리에서 이디야 앞을 지날 때 익숙한 목소리가 두 사람을 불렀다. 돌아보니 현성이 그들 쪽으로 걸어오고 있었다. 현우는 기억 속의 모습과는 달라진 현성을 뚫어져라 보았다. 다른 사람과 착각한 건 아닐까 싶어 주변을 보았지만, 이쪽으로 오는 사람은 한 명뿐이었다. 얼핏 봤을 땐 못 알아볼 것 같았는데, 가까이 다가오니 눈빛이 여전했다. 세 사람은 길 한복판에 서서 농담을 주고받으며 어색하게 웃었다. 명절을 맞아 고향으로 내려온 사람들이 거리를 지나다니고, 카페 창에 그들이 비쳤다. 가족들이, 친구들이, 연인들이 세 사람을 스쳐 지나는 거리에 서서 현우는 벅차오르는 감정을 느끼고 있었다. 아득한 과거를 공유하는 친구들이 눈앞에서 자신을 보고 있는 상황은 말로 설명하기 어려웠다. 기쁨인지 회한인지 모를 느낌이었다. 먼 곳까지 있는 힘껏 달렸다가 다시 제자리로 돌아오는 것 같았다. 그것이 반환점을 돌아오는 건지, 더는 나아갈 여력이 없어 포기하고 만 것인지 현우는 알 수 없었다. 세 사람은 자연스레 술집이 밀집한 골목을 걸었지만, 몇 번을 오가도 가게들이 모두 붐비고 있었다.

–평거동에 사람 진짜 많네?

-요즘엔 다 평거동에서 논다. 시내나 S대 앞은 죽은 지 오래지.

-S대 없어진 지가 언젠데. G대로 통합됐다.

현우는 낮에 본 시내 풍경을 떠올렸다. 이제는 죽은 상권이라 불리는 곳, 기억 속엔 생생한데 기억이 전부가 되어버린 곳. 그리고 또 하나의 죽어버린 상권, 현성이 다녔을 S대 앞 거리를 추억하다 현성을 보았다. 정작 본인은 덤덤한 얼굴로 생각에 잠긴 듯 보였다. 현성은 삶의 터전이 겪은 변화를 돌이켜보았다. 유년엔 샛별빌라 앞에 어린 목련을 심었고, 조금만 걸으면 형과 뛰놀던 놀이터가 있었다. 커가면서 생활 반경은 넓어졌지만, 현성은 그 동네를 거의 벗어나지 않았다. 동네에 있던 어린이집과 J역이 사라지고, S대가 통합되면서 많은 것이 바뀌었다. 운기는 두 사람을 보며 갓 스물이 되던 때를 떠올렸다. S대 앞 술집에서 시작한 아르바이트와 어른으로 첫발을 내디디며 선화와 함께한 나날을. 세 사람은 군중 속에서 말없이 걸으며 각자 생각에 잠겼다. 하지만 아무리 걸어도 마땅한 곳이 없자 운기가 휴대폰을 꺼내 들었다.

-아, 잠만.

운기는 걸음을 멈추고 전화를 걸었다.

-행님, 지금 세 명 자리 있어요?

운기는 자신의 단골 가게에 자리가 있다며 현우와 현성을 이끌었다. 번화한 길목에서 조금 벗어난 곳이었지만, 그리 멀지 않았다. 세 사람은 화로 앞에 옹기종기 둘러앉았고 운기는 익숙한 듯 고민 없이 양갈비 세트를 주문했다. 빈 테이블엔 생맥주 세 잔이 먼저 나왔고, 운기는 거국적으로 짠을 하자며 분위기를 띄웠다. 셋은 맥주잔을 타고 흐르는 것들을 보며 잔을 단숨에 비우기를 반복했다. 술이 들어가자 어색한 분위기는 금세 편안해졌고 고교 시절 이야기꽃을 피웠다. 운기는 현우나 현성보다 기억하게는 게 많았다.

-니는 십 년도 넘었는데 그걸 다 기억하나?

-그러게. 심지어 운기 너는 같은 반도 아니었잖아.

-내가 워낙 이과 애들이랑 친했으니까.

운기는 여러 에피소드로 추억 여행의 길잡이가 되어주었다. 얼마 만에 이렇게 웃었는지 모를 만큼 세 사람은 즐거움에 취해 마구 웃으며 맥주를 마셨다. 분위기가 무르익고 배가 부를 때쯤 운기가 자리를 옮기자고 제안했다. 운기는 사장과 대화를 나누더니 괜찮은 가게가 있다며 이번에도 앞장서 현우와 현성을 이끌었다. 밖으로 나서니 밤바람이 기분 좋게 얼굴을 어루만졌다. 적당한 취기로 거리를 걷는 내내 세 사람의 얼굴에는 감출 수 없는 기쁨이 어려있었다. 부드러워진 걸음으로 옮긴 곳은 아까보다 한적한 골목의 이자카야였고, 이번에도 운기는 메뉴판을 펼치지도 않고 주문을 했다. 사케 한 병과 모둠회를 놓고 세 사람의 술자리는 이어졌다. 튀김에 타코와사비를 비우는 동안 빈병이 차곡차곡 쌓였다. 운기는 볼이 빨개져서는 바 테이블에 앉아 안쪽에 선 직원과 한참 얘기를 주고받았다. 그러는 사이 현우와 현성은 잔을 부딪치고 비우기를 반복했다. 이따금 운기 쪽을 돌아보면 진지한 표정으로 직원과 대화하거나 반대쪽 테이블에서 술을 마시고 있었다.

-운기 재 사교성 좋은 건 진짜 알아줘야된다.

-그 덕에 우리가 만난 거기도 하니까.

현성은 비어있는 현우의 잔을 채워주었다. 조그마한 잔이 넘치지 않도록 심혈을 기울이는 표정의 현성을 현우는 물끄러미 바라보았다. 현성은 자기도 한잔 따라달라며 술병을 내밀었다. 현우도 조심스레 현성의 잔을 채웠다. 두 사람은 다시 잔을 비웠다. 조금 전까지 요란하던 테이블이 차분해졌다. 현우와 현성은 그간 잘 지냈는지, 어떻게 살았는지 서로 묻고 답했다. 십 년이라는 시간은 요약하자면 얼마든 짧게 말할 수도, 아주아주 길게 얘기할 수도 있었다. 현우는 현성의 말에 집중했다. 잊은 듯 지냈지만, 늘 현성의 소식이 궁금했기 때문이다. 현성 역시 마찬가지였다. 다시는 마주칠 일이 없을 거라 생각한 현우가 잊히지 않고 맞은 편에 앉아 있는 게 조금은 실감 나지 않았다. 두 사람의 대화가 무르익으려 하는데 운기가 테이블로 돌아왔다. 운기는 테이블의 분위기를 다시금 고조시켰다.

-술 마셨더니 덥네.

운기는 붉어진 얼굴에 손부채를 부쳐가며 식혔다. 현우와 현성의 얼굴도 비등비등했다. 번뜩 떠오른 듯 운기는 강변에 가서 바람이나 쐬자고 제안했고, 거나하게 취한 둘은 빼지 않고 응했다. 술집을 나와 조금 걸으니 금방 공원이 나왔고, 도로를 건너자 까만 남강과 강변 산책로였다. 여름인지 가을인지 헷갈리는 날씨였다. 운기는 신이 나서 앞질러 나갔고, 현우와 현성은 마구 달려가는 운기를 보고 웃었다.

-운기는 저렇게 흥이 넘치는데 J시에서 안 답답할까?

-그래서 저리 뛰어다니는 갑지.

현우와 현성은 천천히 운기의 뒤를 따라 걸었다.

-현우 니 작가 됐다매. 그럼 시인이가?

현우는 멋쩍게 웃었다.

-『여름 목련』맞제? 찾아봤다.

현우는 한순간 주변 모든 게 그 시절로 돌아간 것만 같았다. J성 공원을 산책하던 저녁으로, 도서관에서 공부를 하다 현성의 집으로 가 라면을 먹던 밤으로. 현우가 두 눈을 반짝이며 물었다.

-너희 집 앞에 있던 목련 나무 아직 있나?

-당연하지. 그때보다 훨씬 많이 컸다.

현성은 과장한 손동작으로 아름드리나무를 만들어 보였다. 강변은 한적했고, 저 멀리 운기가 두 사람을 부르는 소리가 이따금 들려왔다. 현성은 운기를 향해 손을 흔들어주었고, 운기는 더 멀리 달리기 시작했다. 현우는 푹신한 바닥재가 깔린 길을 걷는 동안 발바닥으로 닿는 감촉 때문인지, 아니면 단지 술기운 탓인지 지금이 꿈만 같았다. 두둥실 떠 있는 지금이 영원하길, 정말 꿈이라면 깨지 않길 바라며 걸었다. 저만치 앞서 가던 운기가 소리를 지르며 두 사람 쪽으로 달려왔다.

-뭐하노. 진짜 시원하다.

운기가 춤을 추듯 이리저리 손과 발을 놀렸고, 그 모습이 우스꽝스러워 현우와 현성은 폭소했다. 그러자 운기는 현우의 손을 잡고 함께 추자 권하는 제스처를 해 보였다. 현우는 주춤했지만, 이내 운기를 따라 몸을 맡겼다. 에라 모르겠다는 심정으로 응하자 강바람을 타고 날아갈 것 같은 기분이었다. 현우는 현성의 손을 잡고 그에게도 눈짓을 해 보였다. 현성 역시 두 사람의 보폭에 맞췄고, 소년으로 되돌아간 듯 셋은 신나게 춤을 춰댔다. 어설픈 동작인지도 모르지만, 그 순간만큼은 아무런 거리낌 없이 노래를 부르고 몸을 흔들며 강변을 거닐었다. 그러다 누가 먼저랄 것도 없이 영화 속 한 장면처럼, 아주 먼 곳으로 떠나온 여행객처럼 어둠을 가르고 달리기 시작했다. 언제 마지막으로 이렇게 힘차게 뛰었던가. 바람은 원래 이렇게 시원하고 달리는 기분은 이다지도 상쾌한 것이었나. 온 힘을 다해 달려 음악분수가 보이는 곳까지 닿자 현우는 정말 멀리까지 온 것 같단 생각이 절로 들었다. 불과 몇 시간 전 혼자 왔을 때와는 다른 감상이었다. 무엇이 얼마나 멀어졌는지는 몰라도 심장이 터질 듯이 뛰는 감각과 비 오듯 흐르는 땀은 생생했다. 현성과 운기도 마찬가지였다. 여운이 가시지 않는 듯 운기는 강가로 달려갔고, 현우는 바닥에 주저앉았다. 현성은 달려온 쪽을 돌아보았다. 어둠 속 가로등 불빛이 비치는 길을 따라 재성이 달려올 것 같았다. 장난기 가득한 표정으로 괜히 웃긴 동작을 해 보이면서. 유난히 많은 치아를 훤히 드러내고 웃으며 커다란 강아지처럼 이쪽으로 단숨에 달려와 말할 것 같았다. 나도 같이 놀자고. 뭘 하고 있었길래 이렇게 니들만 신이 났냐고. 자기가 더 잘할 수 있으니 봐달라고. 현성은 촉촉한 미소를 띠고 현우 옆에 앉았다.

*

숨을 고르고 나니 땀이 흥건했다. 기진맥진해진 현우와 현성, 운기는 아무렇게나 누워 밤하늘을 보았다. 세 사람 모두 생각에 잠긴 듯 말이 없었다. 이렇게 땀

흘리며 뛸 일이 없어진 나이가 됐음을 실감하며 현우가 말을 꺼냈다.

-아직도 별자리 잘 아나?

-이제 다 까먹었지.

현우는 점점이 반짝이는 별을 손가락으로 이어 그리며 별자리를 찾아보았다. 어설픈 현우의 손짓을 현성은 바라만 보았다. 보다 못한 운기가 핸드폰을 내밀며 말했다.

-요즘엔 어플로 별자리 다 찾아준다.

운기의 핸드폰 화면엔 눈에는 보이지 않던 별들이 찍혀있었다. 운기가 핸드폰을 움직이자 다른 별이 이 자리에 떠 있다고 앱은 알려주었다. 신기한지 한참 그러고 있다가 운기가 먼저 몸을 일으켰다.

-출출하다. 뭐 좀 먹으러 가자.

세 사람은 달려온 강변 산책로를 되돌아 걸었다. 같은 길인데 반대로 걸으니 현실로 돌아가는 것만 같아서인지 침묵이 흘렀다. 그렇게 한참을 걸어 다시 평거동으로 돌아왔고, 운기가 한 가게 앞에 섰다.

-우리 여기서 한잔 더 하자.

운기가 멈춘 곳은 <참새 방앗간>이었다. 세 사람은 가게 안으로 들어가 잔치국수와 소주를 주문했다. 뜨끈한 국물을 들이켜며 흐르는 땀을 닦고 소주를 마셨다. 나른해진 자세로 앉아 운기가 말했다.

-도현성 니 일진은 아니었다이가. 누구 괴롭힌 적도 없고. 그냥 노는 걸 좋아했지.

현성은 입을 다물고 있었다. 왜 현성은 아무 대꾸도 하지 않는 걸까. 현우는 고등학생 때를 돌아보았다. 현성은 그냥 일진으로 불렸고, 현우도 처음엔 그런 줄 알았다. 친구가 되기 전까지만 해도 현성을 무서워했으니까. 알고 보면 아니었지만, 대부분 아이들은 현성이 일진이 아님을 몰랐을까. 아닌 것 같았다. 하지만 어른들은 달랐다. 그 차이를 알지 못했는지, 알고 싶은 마음이 없었던 건지 현성은 어른들에게만큼은 말 그대로 일진, 문제아였다. 사건이 터지면 가장 먼저 의심을 받고 호출되어 교무실로 갔다. 늘 색안경 낀 대우를 받으면서도 묵묵히 받아들이듯 현성은 감내했다. 현우와 운기의 시선을 애써 무시하며 현성은 잔을 비웠다.

-다 지난 일인데 뭐. 딴 얘기하자.

*

소주병이 서넛쯤 쌓였을 때 가만히 입을 닫고 있던 현성이 말을 꺼냈다.

-너네 만나니까 옛날 생각 많이 나네.

현성은 추억에 잠긴 듯 말을 잇지 못했다. 그런 현성을 보며 현우와 운기도 저마다의 고교 시절로 돌아가고 있었다. 허공을 응시하며, 냅킨을 만지작거리며. 그런데 느닷없이 현성의 눈시울이 촉촉해졌다. 일순간 가라앉은 분위기를 읽은 운기가 눈치를 살폈다. 현성의 입에서 무슨 말이 나올지 알 수 없었다.

-재성이 기억나나?

재성. 현우와 운기는 낯설지 않은 이름의 정체를 파악하려 머리를 굴렸다. 재성은 현성과 늘 붙어 다니던 아이였다.

-유재성?

-어, 3학년 때 우리 반이었던 개.

현우는 재성을 기억해냈다. 늘 맨 뒷자리에 앉았고 책상에 엎드린 모습이 익숙했다. 현성과 무리 지어 다니고 장난기와 웃음이 많았던 것도 떠올랐다. 그리고 무뚝뚝한 듯 다정한 게 현성과 비슷하다고 생각한 적도 있었다. 운기는 재성과도 친분이 있었다며 말을 이었다.

-재성이랑도 중학생 때 같은 학교라 나름 친했지. 그러고 보니까 재성이는 잘 지내나?

-재성이 죽었다. 여름에.

일순간 정적이 흘렀다. 반이나 찬 소주병과 잔을 타고 흘러내린 물방울이 폭발음을 내며 테이블로 추락했다. 현성은 담담하게 말하려 노력했지만, 되려 그 모습이 더 슬퍼 보였다. 운기는 말을 잃었고, 현우는 저도 모르게 눈물을 마구 쏟았다. 아이처럼 엉엉 우는 현우를 보던 현성의 눈시울도 부풀어 올랐다. 금방이라도 쏟아질 것 같은 얼굴로 현성이 현우를 안아주었다. 현우는 현성의 품에서 울었고, 현성은 현우에 어깨 위로 눈물을 뚝뚝 떨어뜨렸다. 운기는 고개를 숙인 채 슬픔에 잠겼다. 운기는 오래된 일임에도 재성의 이름에서 곧장 선화를 떠올렸다. 재성의 누나이자 수많은 처음을 함께한 선화를 잊을 순 없었다. 현우는 현성에게 안겨 울면서 현성을 염려했다. 현성은 너무 어린 나이에 사랑하는 사람을 잃었다. 형을 잃었고, 친구를 먼저 떠나보냈다. 그 큰 슬픔을 어떻게 감당할까. 현성에게 처음 자기 형 이야기를 들었을 땐 십 대였고, 지금은 삼십 대가 되었지만, 조금도 익숙해지지 않았다. 상실이란 무뎌지는 게 아니라 도리어 더 크게 실감하는 것이었다. 현성은 현우를 안고서 형의 장례식에서 자신을 안아주었던 재성을 생각했다. 가게 안은 세 사람이 훌쩍이는 소리만 울렸다. 한참을 울다가 진정이 됐는지 운기가 소주를 한 병 더 주문했고 빈 잔을 채웠다. 현성은 재성의 사연을 차분히 읊조렸다. 급작스러운 일었다고, 누구도 생각조차 하지 않았던 사고였다고.

얼마간 시간이 흐르고 운기는 의자에 앉은 채 꾸벅꾸벅 졸기 시작했다. 현우와 현성은 소용돌이치던 시간이 지난 뒤 찾아온 적요함을 안주 삼아 말없이 잔을 비웠다. 혼자 잔을 비우려는 현우에게 현성이 잔을 갖다 대며 미소 띤 얼굴로 말했다.

-장례식장 왔나. 짠하자.

-현성이 여전하네.

-니도 마찬가지다.

그 시절의 것들은 모두 사라지고 남은 건 아무것도 없는 것 같았다. 너무 많은 게 변하고 잊혔다. 하지만 비단 모든 게 없어지고 새로운 것으로 대체되진 않았다. 어떤 것들은 여전히 남아 유지되곤 한다. 가장 소중한 건 남아있을 것이다. 그제야 현우와 현성은 회포를 풀듯 대화를 나누었다. 열아홉 살의 목소리로 현성이 말했고, 그때와 같은 얼굴로 현우가 답했다. 그날 밤은 끝나지 않을 것처럼 유난히 천천히, 아주 느릿하게 흘렀다.

*

다음 날 현우와 현성, 그리고 운기는 3차로 갔던 <참새 방앗간>에서의 약속을 잊지 않고 다시 만났다. 운기가 현우의 집 앞으로 차를 끌고 왔고, 두 사람은 현성의 집으로 향했다. 샛별빌라 앞에 도착해 운기가 현성에게 전화를 거는 사이 현우는 빌라 앞을 서성였다. 현성의 말대로 목련 나무는 그때에 비해 몸집이 확연히 커져 있었다. 물들어가는 잎사귀를 보며 봄이면 흰 목련이 흐드러지고 여름엔 커다란 잎과 열매를 매달고 있을 목련 나무를 상상해보았다. 이내 현성이 내려왔고, 세 사람은 M고등학교로 출발했다. 현우도, 현성도, 운기도 졸업을 하고나선 처음이었다. 떠올리자면 머릿속에 선연하게 그려지는 풍경을 상상하며 도착했는데, 눈앞의 전경은 예상과 사뭇 달랐다. 현우는 교문 앞에 줄지어있던 은행나무가 없어졌다는 사실을 가장 먼저 눈치챘다.

-예전에 다 베어버렸다고 들은 거 같긴 하네.

은행나무가 있던 자리, 교문으로 이어지는 길은 아스팔트로 포장되어 있었다. 그러고 보니 삭막할 정도로 별것이 없던 주변도 아파트 단지와 상가로 빼곡했다. 여전한 건 굳건한 건물과 학생들의 표정뿐인 것 같았다.

-우리도 저 땐 저렇게 울상이었나?

-더 하면 했지.

세 사람은 교문을, 강당과 급식실을, 본관을 지나 학교 안쪽으로 걸었다. 별관 앞에 서서 건물을 올려다보는데, 운기가 지나가는 학생을 붙들고 물었다.

-저기 혹시 몇 학년이에요?

-1학년이요.

-여기 3학년 건물 아닌가?

-아닌데요?

학생은 별관 건물로 빠르게 사라졌다. 운기는 핸드폰을 꺼내 검색을 하더니 별관은 이제 3학년이 아닌 1학년이 사용하는 공간으로 바뀌었다고 알려주었다.

-진짜 다 바꼈네.

-니 아이폰 쓰는 거부터 그렇다이가. 그때 기억 안 나나. 고아라폰 같은 걸로 문자도 아껴가면서 보냈는데.

이내 종소리가 들리고 어수선하던 복도가 조용해졌다. 현우와 현성, 운기는 학교 주변을 천천히 걸으며 고교생 때의 자신과 지금이 얼마나 많이 바뀌었는지를 생각했다. 가장 뒤에서 걸으며 앞서 나란히 걷는 두 사람을 보니 꽤 여전한 것도 같았다.

혜람빌딩

-내도 예전에 들은 건데, 살다 보니까 진짜 맞다고 느끼는 말이 있거든. 뭔지 아나?

운기는 괜히 뜸을 들였다.

-가끔은 단순하게 생각하고 행동하기.

현성은 운기의 말을 대수롭지 않게 흘려들었는데, 이상하게 그게 자꾸 맴돌았다. 어디서 들은 적 있는 것도 같고, 그렇게 하면 정말 될 것도 같았다. 술자리를 정리하고 운기를 먼저 보낸 뒤 택시에 오르며 현우가 말했다.

-그럼 불러보면 되지.

외마디 말을 남기고 현우는 가버렸다. 그 자리에 서서 현성은 택시를 타는 대신 강변 쪽으로 걷기 시작했다. 걸으면서 반복해 되뇌었다. 단순하게 생각하기. 부르고 싶으면 불러보기. 현성은 남강변에 서서 큰 소리로 재성을 불러보았다. 메아리가 되어 돌아오는 소리를 듣다가 그 자리에 주저앉았다.

*

재성아, 나는 오늘 친구들을 만나 술을 마셨어. 너도 알지? 현우랑 운기. 오랜만에 만난 현우랑 인사를 하는데, 도서관에서 같이 공부하던 열아홉 살 현우를 만난 것 같더라. 자고 일어나 월요일 아침이 밝으면 학교에서 만날 것도 같았어. 벌써 십 년쯤 됐는데 웃기지? 오늘은 하루 종일 고등학생 때처럼 웃고 떠들었어. 애들이랑 그러고 있으니까 네 생각이 나더라. 어쩐지 현우는 네 소식을 궁금해할 것 같아서였을까. 묻기도 전에 먼저 말을 꺼냈어. 재성이 너에 대해서.

너를 떠나보낸 뒤로 너를 이야기한 건 처음이었어. 네 이름을 부르자마자 눈물이 났어. 참새 방앗간에서 소주를 마시다가 말이야. 현우가 먼저 울고 있었어. 교무실에서 울던 그날처럼, 우리 집 바닥에서 숨죽여 울 때처럼. 이번엔 용기를 냈어. 마지막인지도 모르는데 미룰 순 없잖아. 그래서 현우를 안아줬고 우리는 부둥켜안은 채로 울었어. 재성이 네가 나를 안아주었던 것처럼 온 힘을 다해서 현우를 꽉 안아줬어. 참 이상하지. 그 순간 내가 위로받고 있다는 느낌이 들었거든. 눈물이 뚝뚝 떨어지더라고.

한바탕 울고 헤어졌는데 어쩐지 집으로 가고 싶지 않았어. 이런 기분 이해하지? 그래서 다시 강변엘 왔어. 여긴 내 과거가 너무 많아. 너랑 함께한 추억도, 준성이 형과의 추억도 가득해. 다시는 돌아오고 싶지 않다가도 늘 곁에 두고 싶어지는 이 마음은 어떻게 이해하면 좋을까?

얘들은 어떻게 만났냐고? 얼마 전에 우연히 운기를 만났어. 운기가 두 눈을 동그랗게 뜨고 날 불렀는데, 정말 변한 게 없어서 마스크를 쓰고 있는데도 딱 알아보겠더라. 운기랑은 중학교도 같아서 꽤 친했잖아. 돌이켜보면 운기처럼 나를 스스럼없이 대하는 애들이 별로 없어서였을 거야. 알잖아. 우리가 지나가면 다들 눈치 보면서 피하는 거. 그들 얼굴에 비친 혐오 비슷한 거. 무서워도 했지만, 사실 더러워서 피하는 강아지똥 같은 존재였지. 그런데 운기는 무슨 배짱인지 멀리서부터 내 이름을 부르면서 다가왔어. 어깨동무도 하고. 그게 싫지 않았어. 나를 평범한 또래 친구로 대해줘서 좋았지. 오랜만에 봤는데도 운기는 그때처럼 살갑더라. 어쨌든 그날 운기 입에서 현우 이름이 나왔어. 운기는 모르는 애가 없나 봐. 하긴 걔는 문과생인 것도 잊을 만큼 늘 이과반에 있었잖아. 운기가 셋이 만나 술 한잔하자며 부추겼어. 현우가 추석 연휴에 J시에 올 거라면서.

그 일이 있고 며칠 내내 고등학생 때를 떠올렸어. 떠올랐다고 말하는 게 정확하려나. 3학년 때가 제일 기억에 남아있더라. 그렇게 바라던 최고 학년이 되었는데 뭔가 잘못됐음을 직감했잖아. 나만 그렇게 느낀 건 아닐 거야. 우리 무리 애들 중 누구도 그런 기분에 대해 언급하지 않았지만, 우리는 분명 비슷하게 느꼈지. 마치 이빨 빠진 호랑이 같았달까. 더는 눈치 볼 선배들도 없었는데 무엇 때문에 그런 이상한 느낌을 받았던 걸까. 어차피 선생들이야 우릴 일진이라 부르면서 인간 이하로 대했잖아. 서로가 서로를 무시하는 사이였으니 선생들을 차치한다면 우리는 대체 왜 그랬던 걸까. 난 말야. 그게 우리가 애써 무시하고 지냈던 현실을 마주하는 상황이라 여겼어.

나 너무 진지한가? 우리 딴 얘기 하자. 음, 재성이너랑 야자 시간에 작당모의 하던 별거 아닌 게 자꾸 생각나. 야자 감독은 우릴 주시했고, 어떻게든 그들을 골탕 먹이려고 애썼잖아. 틈만 보이면 야자 째고 놀러 다닌 것도 기억나? 딱히 할 일도 없으면서 어떻게든 학교를 벗어나려고 바득바득했잖아. 막상 갈 데가 없어서 여기 진짜 자주 왔었는데. 큰 소리로 노래도 부르고, 맥주도 몰래 마시고. 아까 애들이랑도 술 마시다가 강변에 왔어. 셋이서 막 뛰고, 현우랑 얘기도 하고. 기분이 너무 좋더라. 옛날로 돌아간 것 같았거든. 그래서 뒤를 돌아보는데 저쪽에서 네가 달려올 것 같은 거야. 선연한 얼굴로 말이야. 늘 장난을 일삼던 네가 잊히질 않아. 우리 일부러 우스꽝스러운 표정을 짓고, 바보 같이 행동하고 지냈던 걸까. 그러면 애들이 피하지 않아서. 재밌어하고 남들처럼 친구로 대해줘서. 이렇게 말하면 우리가 보낸 학창 시절이 너무 보잘것없나?

내게 물어본 적 있었지. 많고 많은 과목 중에 왜 하

필 지구과학이냐고. 글쎄, 굳이 이유를 꼽자면 현우 때문이었어. 어디서부터 말해야 할까. 우리 고2 때 여름 방학쯤에 논술 특강 들었던 거 기억나? 물론 그런 거엔 전혀 관심이 없었지만, 너랑 나는 문과로 전향할지 고민하고 있었잖아. 단지 이과보다는 문과가 나을 것 같아서. 그러려면 특강을 들어야 했고. 그래서 특별실에 앉아있을 때 우리 주변으로만 빈자리가 유난히 많았어. 다들 피하는 눈치였는데 내 앞으로 누가 앉더라. 그게 현우였어. 전교 1등이니까 얼굴은 알고 있었지. 걔가 내 앞에 앉아서 특강이 시작할 때까지 책을 엄청 집중해서 보고 있더라고. 공부가 저렇게 좋을까 싶다가, 얼마나 재밌으면 이렇게 어수선한 와중에 읽힐까 궁금하더라고. 슬쩍 표지를 보니 지구과학이었어. 물론 그런 이유로 공부를 한 건 아니지만, 그때 처음으로 호기심이 생겼어. 그러고 시간은 부단히 흘렀지. 우리도 고3이 된 거야. 학기 초였어. 나는 야자 시간에 계단참에서 몰래 담배를 피우고 있었는데 현우가 교실 앞을 서성이고 있더라고. 걔를 보니까 묻고 싶은 충동이 일었어. 단순히 나도 공부를 해야겠다는 생각이 들었는지도 몰라. 현우의 시선을 끌려고 마른기침을 뱉으며 소리를 냈어. 다행히 현우는 내 쪽으로 다가왔는데 놀란 토끼 눈을 한 채였어. 나는 최대한 조심스럽게 물었어. 공부를 시작해볼까 하는데 뭐부터 하면 좋을지. 현우는 아주 잠깐 고민하고 말했어. 지구과학을 공부해 보라고. 그때 얼마나 안도했던지. 지구과학이라 얼마나 다행이었는지.

사실 현우를 알게 된 건 조금 더 전의 일이야. 그가 궁금해진 시점이겠지. 고2 때 우리 반 담임이 야자 감독이던 날이었어. 그날도 나는 교무실에 불려 가서 잔소리를 듣고 있었어. 잘못한 건 없었지만, 하루 이틀 있는 일도 아니었잖아. 그때 어떤 애가 울면서 교무실로 들어오더라. 교무실엔 나랑 담임, 그리고 지구과학 선생 이렇게 셋이 전부였어. 걔가 눈물이 범벅된 얼굴로 서 있는데 우리 셋은 그 상황이 너무 당황스러워서 얼어붙어 버렸어. 현우가 우리 쪽을 한번 보더니 지구과학 선생 쪽으로 걸어갔어. 터벅터벅. 슬로 모션처럼 보였어. 그러고는 선생 앞에서 엉엉 우는 거야. 세상을 다 잃은 것처럼. 우리 형 장례식에서 울던 너처럼, 나처럼. 쟤도 갑자기 소중한 걸 잃은 걸까. 그런데 열여

덟 살 먹은 남자애가 애기처럼 우는데 걔한테 유난히 시선이 갔던 건, 어딘가 익숙해서였어. 어디서 들어봤는지 한참 떠올려보니 그건 실로폰 소리였어. 초등학생 음악 시간에 배운 그 실로폰. 어쩌면 캐스터네츠 소리 같기도 했고. 이상하지? 나도 이상했어. 그래서 걔가 우는 소리를 귀 기울여 들었어. 악기 연주하는 것 같은 울음소리라니. 나만 그랬던 건 아니었어. 나도, 담임도, 지구과학 선생도 걔가 우는 걸 넋 놓고 바라봤으니까. 그러다 지구과학 선생이 걔를 데리고 교무실을 나갔어. 교무실 옆에 있는 교직원 휴게실로 들어간 것 같았어. 무슨 일이 있었는지, 뒤로 어떻게 됐는지는 몰라. 그 장면이 잊히질 않고 생각나더라고. 자연스럽게 걔가 눈에 들기 시작했지. 지구과학 선생이랑 자주 대화를 하더라고. 그때 나는 처음으로 문제집을 샀어. 형과 함께 가던 대양서적에서 지구과학 문제집을.

단지 그래서였는지도 모르지만, 종종 우리 형이 관여했다는 생각을 해. 나는 어릴 때부터 형이 읽던 책을 읽었는데, 유난히 내셔널지오그래픽을 좋아했거든. 이런 것도 운명이 아닐까. 나는 지구과학을 공부하면서 정말 행복했으니까 말이야.

어쨌든 현우랑 친해지면서 우리는 속에만 담아두고 살았던 말들을 터놓곤 했는데, 현우가 작가가 되고 싶다는 말을 한 적이 있어. 나는 우리 형을 떠올릴 수밖에 없었지. 내가 아는 작가 지망생은 우리 형이 전부였으니까. 게다가 현우는 내 방에 남겨진 준성이 형이 읽던 책들을 좋아했거든. 처음엔 말리고 싶었어. 현우도 형처럼 될까 봐 무서웠으니까. 하지만 그건 내가 어떻게 할 수 있는 영역의 일이 아님을 금방 받아들였지. 현우는 그 책들을 정말 사랑하고 있었거든. 현우가 내게 자신의 노트를 준 것처럼 나는 형이 쓰던 노트도 현우에게 줬어. 나처럼 베끼지 말고 가져도 되는 거라 귀띔해 주면서. 있잖아. 솔직히 난 현우가 준 노트를 가지고 싶었어. 정확히는 내게 빌려준 그 노트를 훔치고 싶었어. 뭔가를 훔치고 싶을 만큼 가지고 싶은 건 처음이었는데 기분이 이상하더라. 그래서 며칠 밤을 새워서 똑같이 베꼈어. 현우가 준 건 내가 가지고, 똑같이 만든 걸 현우에게 주려고. 하지만 그러진 못했어. 차마 입이 떨어지지 않아서 결국 뒤춤에 감춰둔 현우의 노트를 건넬 수밖에 없었지.

너도 알겠지만, 현우랑 친하게 지내면서 나는 많이 바뀌었어. 걘 참 편했어. 내 방에 같이 누워있으면 나도 모르게 속의 말들을 꺼내게 되더라고. 처음으로 우리 형 얘기를 하는데 훌쩍이는 소리가 들렸어. 내가 울어야 할 것 같은데, 현우가 울고 있었어. 창으로 드는 달빛으로 바닥에 가로누운 현우의 모습을 보는데 네 생각이 나더라. 네가 날 안아줬던 것처럼 나도 현우를 안아주고 싶었지만 몸이 움직이진 않았어. 그게 못내 미안해서 그런지 그 장면이 잊히질 않아. 현우는 주말마다 우리 집에서 자고 갔어. 현우도 우리 집이 편한지 곧잘 잠이 들었는데, 그러면 나는 현우의 귀를 빌려 말을 꺼냈어. 담아둔 탓에 고여 썩어버릴 것만 같던 얘기를. 지금 네게 말하듯이 말이야. 듣고 있는지, 잠이 들었는지 모른 채 고해성사하듯이 말이야. 엉망진창인 내 삶에 대해, 자살한 형과 소식을 알 길이 없어진 아빠, 늘 부재하는 엄마에 대해. 모든 게 그리웠어. 한순간 곁에서 사라진 사람들이 보고 싶었어. 그때 현우는 내게 한 번도 묻지 않았어. 그저 빈자리를 채우듯 우리 집에서 지냈지. 함께 밥을 먹고 형이 읽던 책을 읽고 지구과학을 공부하다 잠이 들고.

기억하지? 나 월요일마다 야자 짼 거. 너희가 물어볼 때마다 대충 둘러댔는데, 실은 월요일은 엄마가 집에 오는 날이었어. 그래서 엄마랑 같이 밥 먹으려고 야자 쨌던 거야. 담임은 허락하지 않았지. 내가 뭐라 말한들 믿어주겠어. 하지만 난 엄마가 그리웠어. 혼자 지내는 집은 너무 쓸쓸하고 온기가 없게 마련이거든. 일주일에 한 번인데 너무 소중하잖아. 무튼, 소중한 것을 간직하는 방법은 저마다 다르겠지만, 내가 엄마와의 저녁 식사를 소중히 여겨 집으로 달려갔듯, 현우도 자신의 꿈을 소중하게 간직했나 봐. 현우, 정말로 작가가 되었더라고. 시집을 냈는데 제목이 『여름 목련』이야. 현우를 꼭 닮은 시들이 가득해. 그걸 읽으면서 내가 아는 현우와 내가 모르는 현우를 동시에 생각했어. 재성이 형의 흔적을 따라가면서 그 시절 우리가 함께한 시간들을 어쩜 그렇게 아름다운 문장으로 써 내려갈 수 있는지 감탄하면서 여러 번 읽었어. 수록된 시 중에 「혜람빌딩」이라는 제목의 시가 있어. 현우에게도 꼭 혜람빌딩을 소개해주고 싶었는데, 현우는 이미 거길 알고 있더라고. 너도 기억하지? 혜람빌딩에서 우리가 보낸 시간들. 하긴 어떻게 잊겠어. 우리가 수시로 드나들던 가게는 모두 없어졌잖아. 피시방과 오락실, 그리고 카페. 맞아, 어울리지 않게도 우린 카페에 자주 갔잖아. 거기서 주고받은 필담도 아직 간직하고 있어. 네가 그린 그림과 내가 쓴 문장들. 낙서로 치부해 버렸지만, 너는 정말 그림에 소질이 있었고, 넌 내게 진지하게 글을 써보라고 했잖아. 준성이 형이 못다 이룬 꿈을 내가 이루라고. 난 자신이 없었는데, 현우가 이뤄준 게 아닐까 싶기도 해. 그래서 형이 내게 지구과학을, 현우를 보내준 것 같아. 현우는 자기 꿈을 소중히 여기고 포기하지 않았을 거야. 여의찮은 환경에서도 지구과학 문제집을 들여다보는 근성으로 말이야.

얘기가 나와서 말인데, 오거리의 혜람빌딩엘 가보려고 해. 네가 떠난 후론 가본 적이 없었는데 이제는 갈 수 있을 것 같아. 그날은 정말 평범한 하루였어. 그런데 직감이라는 게 있잖아. 선화 누나에게 걸려 온 전화를 받고 싶지 않았거든. 불길한 예감은 틀리지 않잖

아. 금방 끊어지길 기다렸는데 애석하게도 그럴 기미가 보이지 않았어. 결국 전화를 받았고, 곧장 택시를 탔어. 도착한 곳에서 내가 마주한 상실의 장면. 그게 너무 익숙해서 낯설었어. 차라리 몰래카메라라고 말해줬으면 싶었어.

준성이 형이 죽었을 때 너보다 먼저 장례식장에 와 있던 게 선화 누나였어. 그때 누나는 너무 어린 나이에 사랑하는 사람을 잃었지. 그것만으로도 충분히 고통스러울 텐데 너의 장례식에서 우리는 또 한 번 마주했어. 이번에는 서로의 위치가 바뀐 채로. 하지만 우리가 선 자리가 바뀐다는 건 큰 의미가 없더라. 누나와 나는 그때와 너무나도 닮은 얼굴을 하고 있었으니까. 누나가 먼저 나를 안아줬어. 나도 누나를 안아줬고. 어떡하면 좋을까. 도무지 익숙해질 것 같지 않은 그 기분을. 나는 선화 누나를 보면 동정심이 일어. 아마 누나도 마찬가질 거야. 나는 형과 친구를 잃었고, 누나는 연인과 동생을 잃었으니까. 사랑하는 사람을 너무 빨리, 그리고 크게 잃었잖아. 남겨진 우리는 그 무게를 감당하기 위해 각자 노력해. 나의 방식으로, 누나의 방식으로. 그리고 서로를 위로하려 노력하지. 맞아, 혼자서 감내

하긴 너무 어려울 거야.

선화 누나랑은 가끔 연락해. 잘 지낸다고 말은 하는데, 누나도 나랑 비슷하지 않을까. 실은 며칠 전에도 누나한테서 연락이 왔어. 추석 잘 보내라고, 맛있는 것도 많이 먹으라고. 해주고 싶은 말이 많았는데 입이 떨어지지 않더라. 용기가 나지 않은 거겠지. 누나가 한번 보자고 말했거든. 하필이면 혜람빌딩 앞에서. 나는 주춤했어. 도망가고 싶었는데 그럴 순 없어서 이러지도 저러지도 못했지. 혜람빌딩은 너와 나의 모든 것이나 다름없잖아. 거길 너 없이 갈 순 없잖아. 그런데 이제 할 수 있을 것 같아. 아니, 해볼게. 일단은 누나에게 연락해볼게. 그간 잘 지냈냐고, 연휴는 어떻게 보냈느냐고. 우리 혜람빌딩 앞에서 만나 더 얘기하자고. 맛있는 밥도 먹고 카페도 가자고. 쉽진 않겠지만 너와 나의 이야기도 누나에게 들려주고, 누나 얘기도 들으려고. 짊어지고 있는 무게가 버겁지 않도록, 앞으로도 무섭지 않도록. 혼자가 아니라고 보여주려고.

재성아, 우리 그렇게 친하게 지냈는데도 너한테 못

한 말이 너무 많다. 늦었는지도 모르지만, 이렇게 너랑 얘기하니까 정말 좋네. 그래서 말인데, 나 또 올게. 괜찮지? 현우 말처럼 언제든 생각날 때면 이렇게 불러볼게.

*

현성은 오랫동안 강변에 앉아 재성과 대화했다. 더디게 흐르는 시간 내내 달빛이 그를 안아주기도, 물길을 내어 가는 오리가 답해주기도 했다. 현성은 정말 재성과 함께 있다고 느꼈을 뿐만 아니라 사계가 눈앞에서 반짝이며 흘러가는 장면을 마주했다. 까맣던 남강에 하얀빛이 쏟아지고, 강물에 비친 햇살이 반사되어 이파리를 밝게 비췄다. 반짝이는 잎사귀, 살랑이는 여름. 싱그러운 버드나무 사이로 재성이 나타났다 사라지고 이내 목련이 활짝 핀 봄이 다가왔다. 환하게 피어난 목련을 보니 현우가 떠올랐다. 겨울 같던 봄이, 여름 같던 가을이 눈앞에서 펼쳐지는 광경에, 현성은 방향을 알고 있다는 듯이 자리를 털고 일어섰다. 우주를 형성하는 천체들은 수도 없이 많은 관계를 맺고 있다.

항성 주위를 공전하는 행성이 있고, 행성을 공전하는 위성도 있다. 행성은 각자의 속도로 자전하는 동시에, 저마다 주기를 유지하며 공전하고 타 행성들과 가까워지고 멀어지기를 반복한다. 또한 어느 행성에서는 인공위성을 만들어 띄운다. 종종 혜성은 소멸하지만, 유성이 되기도 하며 그 찰나에 누군가의 염원이 되거나 운석으로 오래 남아있기도 한다. 이러한 일들이 수도 없이 얽혀 은하를 이루고, 저 멀리 또 다른 은하 역시 존재한다. 행성의 운동에 따라 궤도가 그려지듯 현성도 저만의 궤적을 남기며 살아왔다. 물론 삶의 궤적은 눈에 보이지 않지만, 현성은 알고 있다. 현성은 망설임 없이 그곳으로 걷기 시작했다.

에세이

섬세하고 하얀 사랑

몇 해 전 입하가 지나고 여름이 시작하던 즈음이었다. 을지로4가에서 친구 다움을 만났는데 문득 우리가 이렇게 낮에 만난 적이 있던가 싶었다. 그녀와 처음 알게 된 고교 시절부터 우리는 늘 밤에만 만났던 것 같았다. 학원을 마치고 귀가하는 길에, 독서실 앞에서, 그리고 퇴근 후에. 언제나 하루의 끄트머리에서 아직은 무언가 끝나지 않은 것 같은 기분으로 밤 산책을 자주 했던 기억이 있다. 성인이 된 후로는 주로 술잔을 기울이며 여전히 끝나지 않은 것 같은 마음, 뒤숭숭한 상태에 대해 토로하곤 했다.

그날 나는 노란색 셔츠를 입고 있었고, 다움은 하얀색 구두를 신고 왔다. 우리는 서로의 차림이 날씨와 잘 어울린다고 말하며 해사하게 웃었다. 청계천을 따라 정처 없이 걷다 잠깐 멈춰 서서 하늘을 보며 대화를 나누었는데, 어떤 얘기였는지는 기억나지 않는다. 아마도 다움이 구름을 가리키고 나는 바람을 보았을 것이다. 이과생인 우리는 고교 시절에 배운 지구과학에 대해 시답잖은 얘기를 하며 다시 걸었다. 대낮에 씩씩하게 걷는 친구의 실루엣이 예뻤던 기억, 찰나의 대화와 하루치 아름다움, 무정하지 않은 단어와 거칠지 않는 어조를 간직하고자 전날의 숙취에도 불구하고 돈암동에서 미아동까지 걸어가 「지구과학을 사랑해」의 초고를 작성했다.

하지만 초여름 그날처럼, 무언가의 시작에 선명한 출발 지점 같은 건 없는지도 모른다. 그해 입하는 5월 5일 오후 3시 47분에 시작했지만, 여름은 정확히 몇 시 몇 분에 시작하지 않는다. 사랑도 그렇고 우정도 마찬가지다. 모든 관계와 사건은 아무도 모르게 시작해왔을 것이다. 내가 쓴 소설 역시 다르지 않다는 잦은 생각으로 이번 소설을 썼다.

샛별빌라는 어느 저녁에 이름을 지었다. 친구 주현과 한남동을 걷다가 마땅한 저녁 메뉴를 고르지 못해 우리는 보광동으로, 다시 한남동으로, 마치 걷다 보면 무언가를 만날 것처럼 발길을 돌려 보광동으로 걷기를 반복했다. 그때 갑자기 주현이 말했다. 샛별에 대해, 개밥바라기별에 대해. 나는 그가 가리키는 금성을 보고, 그가 말하는 이야기를 들으며 사랑에 대해 생각했다. 사랑은 무엇일까. 샛별이라 불렀다 개밥바라기별이라 부르는 일은 사랑 비슷한 것 같았다. 나는 부름에 있어서도 섬세한 사랑을 하고 싶었고, 하얗게 사랑하고 싶다는 생각이 이어 들었다. 하지만 섬세하고 하얀 사랑이 무엇인지는 모르겠어서 그것에 대해 오래 고민할 수밖에 없었다. 명쾌한 답은 떠오르지 않았지만, 샛별빌라에서 벌어지는 이야기를 쓰기 시작했다. 그러다 왜인지 을지로4가에서의 순간이 내게 다가왔고, 두 사건은 하나의 이야기가 될 것이란 예감이 들었다.

십 대 이야기는 늘 쓰고 싶었고, 지구과학과 샛별을 담아 쓰면 좋을 것 같았다. 과거를 돌아보고 고교생들의 이야기를 만들면서 힘들었던 건 내가 어린 시절의 나를 그다지 좋아하지 않는다는 사실이었다. 현우처럼 나 또한 얼른 벗어나고 싶었다. 미성년이라는 나이도, 어눌한 몸과 마음도, 집도 학교도, 나를 둘러싼 모든 것이 싫었다. 마음이 삐뚤기 시작하자 이른 아침 만원 버스도, 지저분한 구레나룻이나 손톱의 거스러미까지 너무나도 거슬렸다. 그럼에도 유년을 담아 이야기를 쓰는 이유는 좋은 추억만 남기고 기억은 미화되기 마련이라서가 아니다. 분명 내겐 그 모든 걸 이겨낼 수 있도록 도와준 무언가가 있었을 거란 확신이 있었기 때문이다. 그렇다면 그때의 나는 어디서 위로받았을까. 지지부진한 시간을 견딜 수 있던 힘은 대체 무엇이었을까. 처음엔 흐릿했지만, 소설을 쓰다 보니 무채색이라 기억하는 그 시절이 실은 알록달록한 때였음을 깨우칠 수 있었다. 계절마다 빛과 잎이 사방에서 흔들며 다가왔고, 커튼 너머로 불어오던 바람과 그 속의 실루엣, 선풍기 소리, 운동장에서 들려오던 먼 소음은 뭐라 설명하기 어려운 위안이 되곤 했다. 야자가 끝난 뒤로도 쉬이 보내지 못한 밤을 힘겹게 걷던 거리엔 친구들이 있어 주었다. 결코 혼자가 아니었다. 나는 그런 마음으로 현우를 썼고, 현성을 만났다.

무엇보다 현우 옆에 현성 같은 친구가 있으면 참 좋을 것 같았다. 그런데 소설 쓰는 일이 재밌는 건, 이번

이야기를 꾸리면서 현성에게 자꾸만 마음이 쏠렸다는 점에 있다. 그렇다. 현성에게도 현우가 필요했을 것이다. 두 사람의 이야기를, 운기와 선화를, 재성과 준성까지 연작으로 만든 건 나를 포함해 일상의 소중함으로부터 멀어지고, 혼자가 익숙해져 버린 이들에게 작은 선물이 되기를 바라서였다. 어른들이 지난 시절의 소중한 기억을 잊지 않길 바랐고, 불안한 시기를 보내는 위태로운 이들이 지금을 잃거나 포기하지 않기를 바라며 겨우내 이야기를 썼다.

한창 작업 중이던 겨울에 친구 경훈과 후암동에서 만난 적이 있다. 그와 나는 마치 소설 속 인물들처럼 전혀 다른 세계의 사람 같은데, 이상하게도 우리는 친해지는 중이었다. 그는 어째서 내가 일하는 책방에 찾아와 동네 술집에서 자신의 지난 일을 들려주고 있으며, 나는 왜 귀 기울여 듣고 있는 걸까. 어쩌다 우리는 이태원역 앞에서 함께 울었던 것일까. 대리석 볼라드를 밟고 서서 담배를 피울 때 그가 말한 문장이 오래 기억에 남았다. 고마웠어요. 나는 언제 마지막으로 그런 말을 해봤지. 기억하지 못할 만큼 흔한 말이라 꼬박꼬박

챙겨주지 못하고 으레 흘려버린 것 같았다. 김현우, 도현성, 박운기, 유재성, 도준성, 유선화. 모두에게 말해주고 싶다. 나의 소중한 친구들에게도 전하고 싶다. 내 과거와 함께해줘서 고맙다고. 정말 고마웠다고.

내가 지은 세계를 무너뜨리지 않고도 다른 세계를 만들어낼 수 있다는 사실을 친구들에게 배웠음에 틀림없다. 사랑한 친구들이 아니었다면 나는 여태 조그마한 방에서 겁먹은 채로 살고 있을 것이다. 나라는 세계를 두고도 너라는 세계를 만날 수 있게 해준 이들. 내 살을 뜯어다 먹이고, 너라는 성벽을 무너뜨려 우리를 지어준 시간들. 너와 내가 만나 우리는 각자의 세계를 배 불리고, 또 하나의 세계를 만들어갔다.

알 수 없는 인력으로 연결되어 서로의 주변을 맴돌던 세계는 또 얼마나 많았을까. 밤하늘을 올려다보면서 그런 생각을 하곤 한다. 저 별은 어느 별의 곁을 맴돌까. 나와는 한 번쯤 만난 적 있는 별일까. 어쩌면 누군가가 내게 가까워지기 위해 띄운 인공위성은 아닐까.

소설을 쓴다는 건 구태여 물어보는 자세라 생각한다. 우리의 만남에 대해, 한 마디 문장에 대해, 이해할 수 없는 것들에 대해. 하루가 저물어도 끝나지 않은 것 같은 기분은 여전히 잘 알지 못하지만, 그래서 소설을 쓰고 있는 건지도 모른다. 섬세하고 하얀 사랑이란 아울러 보고 싶은 것이 아닐까 생각해보면서. 내일도, 내달에도 멈추지 않기를 바라면서.

며칠 전 친구 성현은 내게 이런 카톡을 보냈다. 지구과학 내껀데. 우리는 몇 마디 대화를 나누다 성현이 다음의 말로 마무리했다. 응원한다 항상. 그의 연락은 이 소설을 끝까지 포기하지 않을 수 있는 큰 힘이었다.

2023년 봄

후암동과 해방촌 사이에서

오종길

인터뷰

하혁진 X 오종길

하혁진 | 안녕하세요, 작가님. 4번째 소설집의 인터뷰를 함께하게 되어 기쁩니다. 책을 내는 마음이야 매번 설레겠지만 이번 소설집을 출간하시는 소회도 궁금합니다. 근황과 인사까지 함께 전해주시죠.

오종길 | 안녕하세요, 혁진님. 이렇게 책에 실을 인터뷰를 하는 건 처음이라 조금 떨리네요. 우선, 저는 책방 일을 겸하고 있어서 책방에 출퇴근하는 앞뒤로 카페에서 소설을 쓰며 한동안을 보냈습니다. 후암동 108계단 아래가 책방, 위가 저희 집이거든요. 그러다 보니 대부분의 일과가 동네에서 시작하고 끝나요. 저는 개인적으로 소설을 쓸 때마다 특정 색을 정해두는데요. 이번 소설을 작업하면서는 파스텔톤의 색깔을 많이 생각해서 그런지 마무리하면서 따뜻한 느낌을 받았어요. 자연히 독자분들에게도 이 온기가 전해졌으

면 하는 바람도 있고요.

하혁진 | 108계단이라니... 숫자가 그래서인지 글쓰기를 위한 수련 같기도 하네요. (웃음) 독립출판을 통해 정말 부지런히 책을 출간하고 계신데요. 저도 독립출판을 해본 경험이 있어서인지 더욱 대단하게 느껴집니다. 독립출판의 과정이 결코 만만하지 않더라고요. 물론 독립출판만의 의미와 재미도 분명히 있었지만요. 작가님이 생각하시기에 독립출판의 매력 혹은 어려움은 무엇인가요?

오종길 | 독립출판의 즐거움이자 고통은 모든 일을 혼자 처리해야 한다는 점이라 생각해요. 물론 저는 디자인은 외주를 맡기지만, 편집자나 출판사의 역할은 스스로 해내야 하니까요. 다행히 주변 동료들의 도움을 받으며 이어오고 있습니다.

하혁진 | 작가님은 소설뿐만 아니라 에세이도 활발히 쓰시고 계시죠. 같은 글쓰기라고 하더라도 소설을 쓰는 마음과 에세이를 쓰는 마음은 분명 다를 것 같은

데요. 이에 대한 작가님의 생각이 궁금합니다.

오종길 | 장르의 구분이 큰 의미가 있다고 생각하지 않는 편이에요. 여러 기획을 가지고 동시다발적으로 작업하다 보니 상황에 따라 쓰고 싶은, 혹은 써지는 글을 붙들고 작업하는데요. 운동에 비유하자면, 소설을 쓸 때는 크로스핏을 하는 느낌이고, 에세이를 쓸 땐 산책하는 느낌에 가깝네요.

하혁진 | 어떤 의미인지 알 것 같아요. 그럼 이제 본격적으로 소설에 대해 이야기 나눠볼까요. 특히 현우와 현성의 이야기를 중심으로 이야기 나눠보고 싶은데요. 이번 소설집은 네 편의 소설이 연작으로 구성되어 있습니다. 처음부터 연작으로 구상하신 것인지 혹은 중간에 떠오른 것인지 궁금합니다.

오종길 | 처음엔 초단편소설로 초고를 써둔 원고가 있었어요. 그런데 단편 정도의 분량으로 써봐야겠다는 생각이 들었고, 새롭게 구상하면서 연작으로 쓸 수 있겠다는 느낌을 받았어요. 소설은 제가 관여할 수 있

는 지점을 넘어서 소설 자체의 힘이 생기는 것 같다는 느낌을 자주 받는데요. 이번 소설이 연작이 된 것도 그런 연유이지 않을까요.

하혁진 | 또한 표제작인 「지구과학을 사랑해」를 제외하면 소설의 제목이 모두 소설 속 공간의 이름입니다. 「우리들의 B02」, 「샛별빌라」, 「혜람빌딩」. 이 역시 처음부터 정해졌던 것일까요? 작가님의 소설 속에서 장소가 인물에 미치는 영향은 무엇일까요?

오종길 | 장소를 제목으로 염두에 둔 건 아니었는데, 세 공간 모두 처음부터 정해두고 쓰기 시작했어요. 공간이 미치는 영향이 굉장히 크다고 생각하거든요. 우리는 늘 어느 공간에 속해있잖아요. 생각해보면, 연인과 명동 한복판에 있을 때와 강릉 해변에 있을 때, 둘만의 아지트에 있을 때 다르게 행동하듯이요. 또한 누군가와의 특별한 공간은 훗날에도 잊히지 않고 그곳에 가면 불현듯 떠오르고요.

하혁진 | 「지구과학을 사랑해」는 '나(현우)'의 시점

으로 '현성'과의 추억을 돌이켜보는 내용입니다. 얼핏 보기에는 '전교 1등'인 현우와 '전교 1짱'인 현성 사이에는 그렇다 할 접점이 없어 보이는데요. 하지만 현우는 "나의 정상에서 내다보면 저 멀리 건너편 꼭대기엔 현성의 실루엣이 보였다"고 말합니다. 작가님이 두 사람의 관계에 주목하신 이유가 궁금합니다. "꼭대기에 홀로 선 이"의 쓸쓸함이나 외로움이 현우와 현성을 이어지게 한 걸까요?

오종길 | 모든 것에 대입해도 마찬가진데, 전혀 다른 두 세계처럼 보일지라도 얼마간은 비슷한 부분이 있다고 생각해요. 눈에 보이지 않는 것들을 알게 모르게 공유한달까요. 주변에 친구들만 둘러봐도 저랑 너무 다른 성향인데 잘 어울리는 친구가 있거든요. 현우와 현성을 통해서 서툴지만 진심을 담았을 십 대 소년이 마음을 주고 관계를 맺기 시작하는 이야기를 쓰고 싶었죠. 그리고 홀로 선 이의 쓸쓸함이 두 사람을 이어준 아교 역할을 하지 않았나 싶어요. 이상하게 끌리는 사람이 있잖아요. 잘 모르지만 왠지 시선이 가고 마음이 쓰이는. 두 사람 모두 서로에게 그런 느낌을 받았다

고 생각하면서 썼습니다.

하혁진 | 정말 그런 것 같아요. 나와는 전혀 다르다고 생각했던 사람이 알고 보면 꽤 닮아있는 경우가 많으니까요. 소설 속 두 사람이 결정적으로 가까워지는 계기는 현우가 현성에게 지구과학을 가르쳐주면서부터입니다. 두 사람이 서로에게 느끼는 감정을 정확히 뭐라고 정의하긴 어렵지만(정의할 수 없지만), 어쨌든 '배움'으로부터 시작된 감정이라는 점이 흥미롭습니다. 배움은 이해를 전제로 하니까요. 다시 말해 현성은 현우의 지구과학 노트를 옮겨 적을 뿐만 아니라, 현우의 감정까지 헤아리게 됩니다. "우리는 지구과학을 공부하듯 차근차근히 서로를 배웠음에 틀림없다"라는 문장이 있기도 하고요. 지구과학을 함께 공부한다는 설정은 어떻게 나오게 됐나요?

오종길 | 제가 고등학생일 때 실제로 친구에게 지구과학을 알려준 경험이 있어요. 그땐 학생이니까 우리는 대부분 배움을 받는 입장인데, 누군가에게 가르침을 주는 건 굉장히 생소하더라고요. 그런 경험을 돌아

보니 제게 배움을 준 선생님들이 떠올랐어요. 학문의 가르침과 배움이지만, 그 사이에서 분명 인간적인 이해도 동반되었을 거예요. 제가 그 친구를 애정하고, 또 선생님을 존경했듯이요.

사실 제가 좋아하는 사람들을 선생님이라고 부르곤 하는데요. 그들에게 배울 점이 있다는 생각을 전제하기도 하고, 관계를 맺는다는 게 배움과 비슷하다고 생각하기 때문이기도 해요. 둘 다 노력을 필요로 하고 임하는 자세에 따라 달라지기도 하니까요.

하혁진 | 사실 현성만 현우에게 배우는 것은 아니죠. 현우도 현성에게 많은 것을 배웁니다. 지구과학 문제는 잘 풀지만 정작 별자리는 볼 줄 모르는 현우에게 현성은 별자리를 알려주기도 합니다. 무엇보다 현우는 현성의 형, 그러니까 죽은 준성의 책들을 읽으며 국어 성적이 오를 뿐만 아니라 결국에는 작가라는

꿈까지 가지게 되죠.

오종길 | 위에서 말씀드렸듯 관계 맺음은 양방의 소통이잖아요. 서로가 서로에게 배움을 매개로 위로가

되어주고 한 발짝씩 세계가 확장될 수 있게 도와준 조력자가 되었을 거예요.

하혁진 | 현우는 자신이 속한 세계에서는 "풀지 못하는 문제란 없"는 인물입니다. 전교 1등인 현우는 소위 말하는 명문대에 입학할 거라는 기대를 한몸에 받고 있기도 하고요. 하지만 "현성의 세계"만큼은 쉽게 풀리지 않는 문제입니다. "온종일 기분이 오락가락"하는 것이죠. 그래서인지 이 소설은 '그때'는 알지 못했던 마음을 '지금'에 와 다시 살펴보는 일종의 "오답 노트" 같다는 생각도 했습니다. 이에 대해 작가님의 생각이 궁금합니다. 조심스럽게 여쭤보자면 작가님의 자전적 경험이 많이 녹아있는 소설일까요?

오종길 | 혁진님이 말씀해주신 부분을 담아내고 싶었어요. 과거는 늘 후회의 거리가 되잖아요. 어떤 선택을 했건, 얼마나 잘했건 말이죠. 하지만 비단 후회만 할 일은 아니거든요. 오답 노트는 다음번에는 틀리지 않으려고 쓰는 거잖아요. 다가올 순간을 위해서요.

저는 소설에 자전적인 요소를 꽤 활용해요. 물론

이 소설 역시 인물과 사건 모두 허구지만요. 현우는 능동적으로 무언가를 해본 적이 없는 학생이에요. 그저 주어진 일을 할 뿐 자신을 깊이 들여다보지 못했어요. 「혜람빌딩」에서 현성이 본 고2 때의 현우 모습이 나와요. 울면서 교무실에 찾아오는 현우를 현성이 본 거예요. 그때 현우는 내면에서 끓어오르는 의문을 마주하고 혼란스러워 한 거거든요. 철학적인 질문일 수도, 지극히 개인적인 혼란일 수도 있어요. 명확하게 그것이 무언인지는 소설에 나오지 않지만, 많은 분들이 각자의 경험에 이입해 읽으시길 바랐어요.

하혁진 | 말씀해주신 「혜람빌딩」의 장면은 감정의 배후가 철저히 가려져 있죠. 그럼에도 불구하고 선명하게 느껴지는 감정이 있었는데, 저 역시 저의 경험을 투영해서 읽었던 것 같아요. 그리고 교무실뿐만 아니라 구석구석 교정의 풍경이 고스란히 느껴져서 좋았습니다. 그러한 풍경은 풍경에서 그치지 않고 인물들의 내면과 밀접하게 이어지기도 하고요. 그 시절의 감각이랄까요. 특히 현우의 공간인 "정독실"과 현성의 공간인 "옥상"은 두 사람의 관계를 촉발하고 지속하는

중요한 공간이죠. 현우가 옥상을 찾아간 덕에 대화가 시작됐고, 현성이 정독실을 찾아오면서 관계가 이어졌으니까요. 작가님도 학창 시절 자주 찾는 공간, 가장 아끼는 공간이 있으셨나요?

오종길 | 학교는 수많은 학생들이 공유하는 공간이다 보니 오롯한 자리를 찾기란 어려운 것 같아요. 소설에도 나오는 정독실은 실제로 제가 고등학생 때 야자를 하던 곳의 이름인데요. 고작해야 정독실 내 자리, 혹은 교실 내 책상 정도가 나만의 공간이었죠. 사색에 잠기고 고요해질 수 있는.

하혁진 | 전교 1등인 현우와 전교 1짱인 현성의 과외(?)는 이내 학교에서 가장 핫한 이슈가 되는데요. 두 사람이 주변의 수군거림을 대하는 태도가 사뭇 다릅니다. 현우는 사소한 이야기도 쉽게 넘기지 못하는 반면, 현성은 "남들이 뭐라 하든 말든 신경 끄면 그만이다"라고 말합니다. 처음에는 현성의 무심한 태도가 미웠는데, 생각해보니 현성마저 현우 같았다면 두 사람의 관계가 이어질 수 없었겠다는 생각도 들었습니다. 어쩌

면 현성의 단단한 마음이 두 사람의 관계를 지탱해 준 것이 아닌가 싶었던 것이죠. 작가님은 굳이 나눈다면 현우 쪽이신가요 현성 쪽이신가요?

오종길 | 저는 너무나도 현우 쪽이요. (웃음) 그런데 어떤 때엔 현성 쪽이기도 한 것 같아요. 누군가에겐 현우에 가깝고 다른 누구에겐 현성에 가깝고요. 사람들은 단선적인 모습만 가지고 있지 않다고 생각해봤어요. 늘 주도적인 사람도 어쩌다가 보살핌을 받고 싶기도 하니까요. 소설 말미에 현성이 재성에게 털어놓는 속마음에서도 드러나듯 현성 역시 엄마가 그립고 온기가 필요한 아이였거든요. 모두의 마음엔 여전히 소년이 살고 있다고 생각합니다.

하혁진 | 이번 소설집이 연작 소설집이어야 했던 이유가 거기에 있었던 건 아닐까 생각해봤어요. 「지구과학을 사랑해」는 현우의 마음으로 현성과의 관계를 직접적으로 봤다면, 「우리들의 B02」에서는 운기와 선화의 이야기를 통해, 「샛별빌라」에서는 10년이라는 시차를 통해, 「혜람빌딩」에서는 재성과

준성을 기억하는 현성의 마음을 통해 인물의 감정과 그들 간의 관계를 입체적으로 보게 되니까요. 한편으로는 첫 번째 만남에서는 현우가 현성에게 많은 것을 배웠다면, 두 번째 만남에서는 현성이 현우와 운기에게 많은 것을 배운 것 같아요. 덕분에 용기를 내서 세상을 떠난 재성에게 속마음을 털어놓는 편지를 쓰기도 하고요. 다시 만난 친구들을 통해 다시 만날 수 없는 사람에게 편지를 쓰게 되는 것이죠. 생각해보면 만날 수 없는 사람을 그리워하는 것과 돌아갈 수 없는 시절을 그리워하는 것이 꽤 겹쳐져 있는 것 같기도 해요.

오종길 | 개인적으로 호시절이란 단어를 참 좋아하는데요. 누구나 그런 시절이, 사람이 있을 거예요. 물론 각자가 기억하는 과거는 다를 것이고 오해와 이해가 얽혀있겠지만요. 연작을 통해서 조금이나마 인물들의 다채로운 시선을 담기길, 독후의 감상도 여럿이길 바랐어요. 내중 중에 도서관 건물 뒤에서 현성의 무리가 현우에 대해 떠드는 말을 현우가 듣는 사건이 있어요. 이건 현우의 오해일 수도, 현성이 그 자리에서 솔직하게 말할 자신이 없어서 속마음과는 다르게 말했

을 수도 있거든요. 수용의 방향이 다양하게 열린 게 맘에 들어서 원고에서 빼 버렸어요. 이런 지점들로 독자분들이 자유롭게 이해하고 해석하시길 바랍니다.

하혁진 | 현우와 현성은 먼 훗날 다시 만나긴 하지만, 어찌 됐든 대학 진학을 계기로 서서히 멀어지게 되죠. "서로의 자리를 바꿔"가며 "너무 소중해서 깊이 숨겨둔, 함부로 만지기조차 두려워 아주 깊숙한 곳에 넣어둔 작고 반짝이는 구슬"들을, 둘만의 비밀과 추억들을 나눠 가졌음에도 불구하고요. 생각해보면 아무도 잘못하지 않아도, 서로 미워하지 않아도, 말 그대로 '자연스럽게' 끝나는 관계가 있는 것 같아요. 관계의 시간이 그렇게 흐르는 것이죠. 「지구과학을 사랑해」 역시 오랜만에 만난 현우와 현성이 함께 새벽하늘을 보고 헤어지는 장면으로 끝이 나는데요. 그 장면을 쓰실 때 어떤 마음이셨는지 궁금합니다.

오종길 | 애초의 계획과는 다른 결말이긴 해요. 아무리 현우와 현성이 멀어지지 않고 가까이 지내게 하려 해도 안 되더라고요. 그렇게 끝이 나는 관계가 있는

거라고 이해하면서 지금의 결말을 썼죠. 학창 시절뿐만 아니라 지나가 버린 시절 속의 수많은 관계들을 곱씹었어요. 미처 이뤄지지 못한 관계의 아쉬움도, 거기서 끝이라 다행이라 느껴지는 마음도, 여전히 남은 미련 같은 것도요.

하혁진 | 제가 결말이라는 표현을 쓰기는 했지만, 말씀해주신 마음들이 남는다면 영영 끝은 아니라는 생각이 들어요. 우리는 관계를 통해 나눠주고 나눠 받은 조각들을 안고 살아가니까요. 소설 속에서 현우가 쓴 시집의 제목도 『여름 목련』이잖아요. 목련은 현성의 집 앞에 피어있던 꽃인데, 그곳은 두 사람이 함께 지구과학을 공부하고 마음을 주고받고 이야기를 만들어 나갔던 공간이잖아요. 그러니까 그 시집은 현우가 그때의 시간들을 안고 살아가고 있다는, 그때의 관계들이 영영 끝난 것은 아니라는 증거겠죠. 『지구과학을 사랑해』 역시 마찬가지라고 생각해요. 이 소설집도 어떤 증거가 될 것이라 믿습니다. 소중한 기억과 감정을 그러안고 계속해서 살아갈 소설 속 인물들에게 마지막 인사를 전해주시죠. 그것으로 독자분들에게 보내는 인

사도 갈음할 수 있을 것 같습니다.

오종길 | 깔끔하게 마무리 해주셔서 고맙습니다. 이 책은 저에게도, 당신에게도 증거가 되길 바랍니다. 마무리하며, 명명백백한 일은 거의 없는 거란 말을 남기고 싶습니다. 시작이나 끝, 이곳과 저곳의 경계 같은 것들이요. 저는 하나의 원고를 갈무리하면서 다음 원고와의 연결 고리를 남겨두곤 해요. 아마 다음 소설은 목련과 닮은, 목련을 좋아하던 한 사람의 이야기가 되지 않을까 합니다. 목련이 활짝 핀 지금 그를 떠올리며 인사드립니다. 읽어주셔서 고맙습니다.

추천사

김현

지구과학을 사랑해, 라는 표제를 보고 손뼉을 쳤다. 감탄해서이기도 하지만 (애초에 가진 적도 없으면서) 놓쳤구나, 싶은 마음에서였다. 언젠가 십 대에서 시작하는—그리고 거기에서 끝나지 않는—퀴어 러브 스토리를 쓰게 된다면 제목으로 삼아야지 싶던 '문장의 기분'이 거기 고스란히 담겨 있었다. 지구를 중심으로 그 주변의 자연을 대상으로 연구하는 학문과 사랑의 합성은 얼마나 절묘한지. 그리고 그 뒤에 붙는 퀴어는 또 얼마나 자연스러운지.

『지구과학을 사랑해』에 담긴 네 편의 연작이 만드는 흐름 속에 합류하여 흘러가며 흐릿해진 시간과 공간과 사람을 여러 번 떠올렸다. 다시 한번 닿고 싶으나 닿을 길이 없는 시공간과 연락하고 싶으나 연락할 길이 없는 사람을. 그건 지금의 나를 있게 한 그때의 나와 그때의 너희들을 마음에 다시금 영사해 보는 추억 여행이었다.

그러나 '그때'로 시작하는 회고가 늘 과거만을 향해 있는 것은 아니다. 나는 『지구과학을 사랑해』를 읽으며 동성혼 배우자 피보험자 자격 부여를 결정한 대한민국 법원의 판결문을 찾아보았고, 미국에서 벌어진 성 소수자 혐오범죄 기사를 스크랩했으며, 두 명의 십대를 주요 인물로 삼은 퀴어 러브 스토리를 썼다. 혼자서도 할 수 있는 사랑에 관한 희망적인 이야기였다. 그리고 새삼 이해했다. 오래전부터 짝꿍이 나를 일러 '샛별'이라 적고, 내가 짝꿍을 일러 '빛'이라 적은 이유를. 사랑의 기초 학문이 지구과학이라는 사실을.

그러니까 오종길의 소설을 읽는다면, 지금 읽으면 좋겠다. 봄에, 낮이 밤보다 더 길어지는 때에, 둘이, 셋이, 혼자서도 걷기 좋은 계절에, 밤하늘을 올려다보는 것만으로도 반짝이는 마음으로, 그 사랑을 지구과학식으로 정의하며. 너의 이름을, 나의 이름을 부르면서.

—김현(시인)

지구과학을
사랑해

글
오종길

초판 1쇄 발행 **2023년 4월 10일**

편집 **오종길**
디자인 **김현경**

이메일 **choroggil@gmail.com**
SNS **@choroggil.ohjonggil_meog**